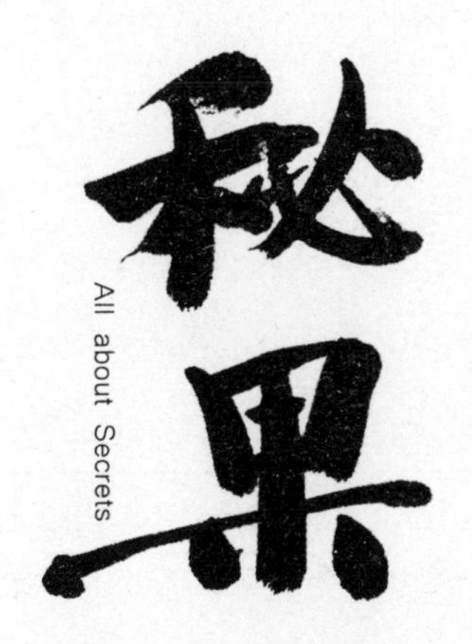

饶雪漫·著 SHARON WORKS

长江出版传媒 | 长江文艺出版社

图书在版编目（CIP）数据

秘果 / 饶雪漫著 . —武汉：长江文艺出版社，2017.5

ISBN 978-7-5354-9295-1

I. ①秘… II. ①饶 … III. ①长篇小说—中国—当代 IV. ① I247.5

中国版本图书馆 CIP 数据核字 (2017) 第 025686 号

秘果

饶雪漫　著

选题产品策划生产机构 | 北京长江新世纪文化传媒有限公司

选题策划 | 金丽红　黎　波　安波舜

责任编辑 | 李　含　蒋淑敏

法律顾问 | 张艳萍　　装帧设计 | 张洪艳　　媒体运营 | 孙　琪

创意策划 | 连若琳　　内文制作 | 邱兴赛　　责任印制 | 张志杰

总 发 行 | 北京长江新世纪文化传媒有限公司

电　　话 | 010-58678881　　传真 | 010-58677346

地　　址 | 北京市朝阳区曙光西里甲 6 号时间国际大厦 A 座 1905 室　　邮编 | 100028

出　　版 | 长江出版传媒 | 长江文艺出版社

地　　址 | 湖北省武汉市雄楚大街 268 号湖北出版文化城 B 座 9-11 楼　　邮编 | 430070

印　　刷 | 三河市百盛印装有限公司

开　　本 | 787 毫米 ×1160 毫米　1/32　　印张 | 8.25

版　　次 | 2017 年 5 月第 1 版　　印次 | 2017 年 5 月第 1 次印刷

字　　数 | 200 千字

定　　价 | 28.00 元

ALL ABOUT SECRETS

所有秘密的结果，无非都是一个新的开始

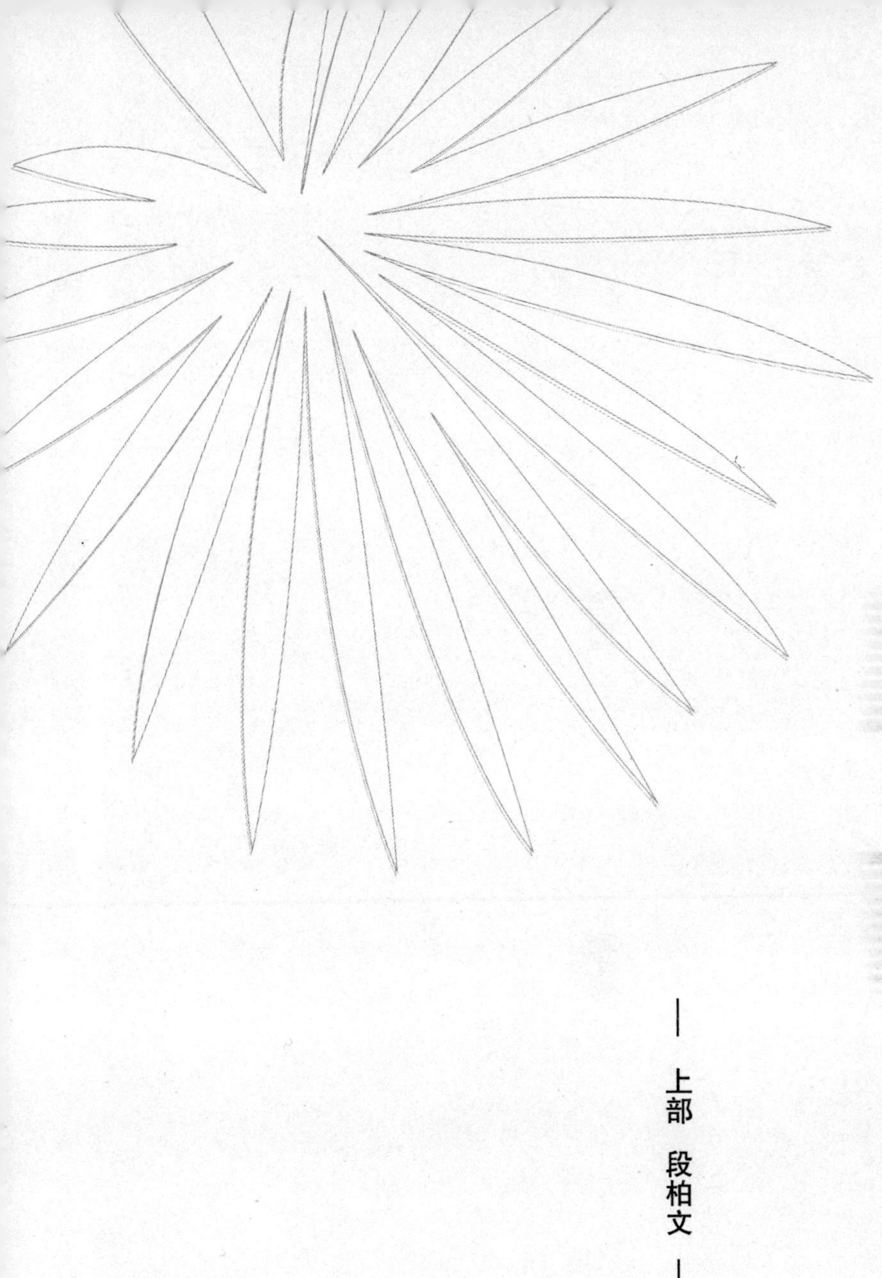

—上部 段柏文—

_01

心事长，衣衫薄的十七岁，我遇到她。

开学第一天，她走进教室的时候，我误以为她是我们班的女生，拍老师马屁，所以帮老师拿讲义。直到她做完自我介绍手执教鞭站在讲台上，用略带童音的甜美嗓音带大家诵读起《沁园春·雪》，我还犹如在梦中。

这个世界上，怎么可能有这么年轻、这么漂亮、这么有品的老师?！

而我又偏偏撞大运，被分到她班上。

她姓李，叫李珥。一开始大家都叫她小李老师。一个多月后，我知道了她的外号——小耳朵。我承认我可怜的心就快被这个妙不可言的外号活活搞死了，那个晚上我在一张纸上写了无数个“小耳朵小耳朵小耳朵……”，纸上都快写不下的时候，我才偷偷在角落里写了三个我自己都快看不见的小小的字：段柏文。

和一纸绵绵深情的“小耳朵”比，“段柏文”三个字偷偷摸摸地趴在那里，像一双心怀鬼胎居心叵测的小眼睛。

“段柏文，你的班费没交呢。”若没记错的话，这是她跟我说的第一句话。

“没钱了啊。”我说。

她就站在我的课桌边，伸直手臂取出我放在文具盒里的五十元钱，问我：“这是什么？”

我故作幽默地说：“票面太大，怕你找不开嘛。”

她在四周嘻嘻哈哈的笑声里把钱找给我。我闻到她指尖特殊的香味，像六月清晨的茉莉钻进我的鼻孔。我如同被瞬间点穴，整个人软得像个没出息的烂柿子。

待她走了，同桌于池子低声骂我：“好个老段，连老师都敢调戏！”

“注意用词！”我呵斥她。

“你是故意不交班费的吧。”她哼哼。

准确地说，于池子算得上是我的发小，我们从幼儿园的时候就是同学。我俩之间，用一个字形容：熟；用两个字形容：太熟。被她看穿，我有些不甘心，不过我并没有多做解释。我早知道这个世界纸包不住火，刻意隐藏和欲盖弥彰都是顶顶愚昧的事。

只是于池子不肯放过我，在午餐时间问了我三次：“你是不是喜欢上小耳朵老师了？是不是是不是是不是是不是嘛？！”

“是！”我坦白承认。

因为我知道，如果我不这样回答她，我想好好吃完这顿午餐的可能性等于零。

于池子冷笑一声说：“也不怪你忽然开窍，我们班有一半男生暗恋她。不过很可惜，据新华社最新消息，人家已经名花有主啦。男朋友那个帅就不提了，还特有钱，用路虎接她下班，你们这帮臭小子，全被比下去，比蚂蚁还渺小！”

我装白痴。“路虎是啥玩意儿？”

于池子愤愤地说：“你就演吧，有朝一日拿了金马奖，或许人家会多看你一眼。”说完这话，她端起饭盘，坐到了靠窗的位子上去。

她愤愤不平的样子让我觉得滑稽透了。九零后的女生都一个样，不是活在电视剧和漫画的世界里，就是活在追星的世界里；不是为毫不好笑的事情笑得全身痉挛，就是为不该生气的事气得七窍生烟，不成熟到了极点。

我对这些女生以及她们的将来着实没什么指望，于是乎，初中三年，身边好多人都恋爱了好几轮，我却在这方面毫无建树，成为众人耻笑的笑柄，毕业晚会上还被好事者于池子荣幸地颁发“永不开花的铁树”手绘证书一张。

那天晚会结束后，我们几个平时关系好的男生决定背着大人出去喝点酒，向我们的成人仪式发起最后的猛烈的进攻。有人介绍了一个很来事的酒吧，叫“算了”。那还是我第一次去酒吧，气氛不错，音乐正好。我喝得酩酊大醉，和大家堆啤酒瓶玩，正high到极致的时候，有不认识的女生过来问我要电话号码。不知道她是不是也喝高了，整个人趴到我身上，连声叫我“帅哥哥帅哥哥”，叫得我头皮发麻。我推开她，大喊一声“救命啊”，就跌跌撞撞奔出酒吧大门，一头撞到正来找我的于池子身上。谁知道那女生还不放过我，竟然追着我跑了出来，要不是被于池子一声怒喝硬挡回去，我搞不好真要拨打110脱险了。

所以说，段柏文什么都不怕，就怕女人。

然而这一切，在遇到她之后仿佛一下子全都变了。我低得可怜的情商突飞猛进不说，人也变得多愁善感，就连飞轮海的某首歌中我总是听不明白的歌词都一下子理解了：

这是一个没有答案的问题，
我感觉我变了，谁让我变了？
原本这是一个没有答案的问题，
却被你解开了，简单地解开了……

我盼望每天的语文课，像儿时盼望每个可以撒欢儿的周末。她走进教室，我的呼吸就开始变得困难，肢体变得僵硬，思想摇摆不定。在她的学生里，我显然很不出众。她找人读课文也好，回答问题也罢，我都仿佛在她的视线范围之外。有时候我很希望她能发现我，大声叫我的名字，但我又怕那一刻真正到来的时候，我会因为紧张而回答不出一个最最简单的问题，从此在她心目中留下劣等生的可悲形象。

因为她，一向光明磊落自由来去的段柏文无可救药地沦落到整日患得患失神经兮兮的地步。我这才明白所谓英雄难过美人关，原来说的是这档子事。

而我和她真正的交锋，是从一篇作文开始的。

那一次的作文题目叫《我的高中》，知道这个题目起我就准备捉弄她一下。

我作文的开头是这样的：

就这样决定了，我要去天中读高中，我暗下决心，无论如何都要上天中！

我上天中的念头是被一个有奇怪名字的女生激发的，她有着一双温柔的眼睛，生着副漂亮脸蛋儿，是个讨人喜欢的年轻人。当时她就住我们那栋房的阁楼上，因为常常见到我读书，就留心我，所以我们很快就相识了。认识没多久，她就下断论说我具有谈情说爱的天赋……

她的评语很快就回来了：你真能瞎掰，就快赶上高尔基了。请重写。

那篇作文没分数。她当然也知道我抄袭的是高尔基的《我的大学》。不过没什么，一切都是在我预谋之中的。于是我很乖地重写了。我去她办公室交作文本的时候，她正在批改作业。我没有敲门，一直走到她身边，她都没有发现。我下意识地看了一下她的耳朵，在阳光下薄薄透明的一片，让我实在忍不住想伸手去捏一捏。

“老师。”我轻声唤她。

她竟然没听见。

“小耳朵老师！”我大声喊。

她转头，用左手拍拍胸脯，惊魂未定地说：“你进来不知道敲门吗？”

“敲了。”我撒谎。

“哦，对不起，可能我没听见。”她的脸竟有一丝微红，看上去真是可爱极了。

我把作文本从身后拿出来，递给她。

她接过，问我：“你为什么要做抄袭这种无聊的事呢？”

“因为你出的作文题目实在太土。”我说。

她对我蓄意已久的挑衅压根不介意，而是微笑着说：“难道这就是你抄袭的借口？”

“说对了一半。”我答。

“哦？”她好奇地问，“那还有一半呢？”

“你猜。”丢下这两个字，我仓惶而逃。

快步走出她的办公室，秋天午后的阳光照得我睁不开眼睛。我真怕自己再多待下去一秒钟，就会情不自禁地说出一些万万不能说的屁话来，然后被她一巴掌扇到外星球去。

可是，这能怪我吗？怪只怪她太美好，美好到简直可以把我字典里那个叫“控制”的词完全删除掉。

是的是的是的是的，我必须承认的是，因为她，我没法控制我自己。

周末，我终于见到那辆传说中的路虎和那位传说中的帅哥。

那天我在宿舍里逗留的时间有点长，到校门口的时候已经快七点钟。我看到的那一幕是她差不多被强行绑架到了车上，然后那个男的随后坐上了车，车子开走了。

鬼使神差，我拦了一辆车跟着他们。

帅哥一直用背影对着我，因此我没看清他的样子。但从她的表情以及她挣扎时的样子，我就能看出她对上他的车极不乐意。我坐在出租车上，大书包像块大石头，压得我心头堵得慌。想到她发生了不愉快的事，或者有可能被人欺负，我就觉得心里像被火烧一样的痛。大约二十分钟后，路虎拐进了一个小区，而出租车进不去，我只好付账下了车，呆呆地站在小区门口，思考何去何从。

十分钟后我晃进了小区，很快就找到了那辆车，它停在24号楼的楼下，黑色的车身在黄昏临暗的暮色下闪着尊贵的光芒。毫无疑问，这是一辆趾高气扬的车，像一匹很难驯服的藏獒；毫无疑问，这辆车的主人是一个趾高气扬的人。我挨着这辆车想了一会儿：我是不是该制造点小麻烦？比如猛地踢车一下，当警报器的声音响彻云霄的时候，搞不好她就会下来，我可以顺便和她搭搭讪，如果她正好没事，我们还可以去仙踪林喝杯茶聊聊人生，或者聊聊我那些看似狗屁不通但实际充满了内涵和思想的作文。就在我进行着无边无际同时也无聊透顶的臆想的时候，她忽然从楼道里走了出来，走得飞快，像是在逃跑。看到我，她停了一下脚步，显然吃了一大惊。

其实我也吃惊，但我故作镇静地说：“老师好。”

“你好。”她试图微笑，但傻子都看得出，她刚刚哭过，因为她的眼睛又肿又红。

我大声对她撒谎："我小姨家住这个小区。"说完了才发现人家根本没问我为什么会在这里，简直此地无银三百两，又傻又天真！

"哦。"她漫不经心地应了一声，低头朝小区外走去。我跟着她，为了不让她发现，我把脚步放得很轻，好在她一直都没有回头看过一眼。奇怪的是出了小区她一直没打车，而是闷着头往东边走去。她走得真的太快了，要跟上她还需要费点力气。在一个红绿灯的路口，她不得已停下了脚步。我刚接近她的背影，来不及收回脚步，就听见她头也不回地大声说道："是个男人就别跟着我！"

我没吱声。

她猛然转头，发现是我，脸在刹那间变得通红。

显然，她把我当成了别人。

"我回家。"吐出这三个字，我装作一脸无辜地看着她，不得不承认，此时此刻，气氛不算融洽。

她回头冲过了马路，我继续跟着。我不知道她是不是知道我还跟在她身后，总之她没有再回头，而是一直一直走到了小河边，坐到了河边那把旧得不像话的木椅子上。椅子可能会有些脏，但她并不介意，甚至没拿出纸巾来擦一下，这多少让我有些诧异。这是深秋，她穿了一件浅色的毛衣开衫，淡灰色羊毛靴裤。从背影看，和我们学校那些女生相差无几。兴许是觉得冷，她把衣领提起来遮住了半边脸。这个动作让我更安心，因为衣领挡住了她眼角的余光，她发现我的可能性又少了百分之六十六点六。我靠在树上，隔了几十米的距离远远地看着她，希望时间就此永远停住，明日永远不必再来。

记得以前在于池子的语文笔记本的扉页上见过一行字：喜欢的歌，静静地听；喜欢的人，远远地看。当时酸到牙都疼，当着她的面狂笑三声，认为女生真是白痴加花痴的可耻动物，把她的小脸气得从发白到发紫再到发青。事到如今才知晓，落入情网的人大抵都是比赛着可耻，哪还有什么自尊可言。要是被于池子知晓今天我跟踪别人的荒唐事，她怕是会笑到脸皮自动脱落为止。

不知站了多久，夜幕完全降临，华灯初上。河边开始起风，渐渐地有细微的雨飘起。而她一直坐着，眺望远方，一动不动。我从书包里取出雨伞，感谢这把我几乎从不使用打开都有些费力的雨伞，让我可以大着胆子走近她，为她把伞高高地举起来，挡去那些试图沾湿她长发的可恶的雨丝。她回头看到我，脸上并没有吃惊的表情，而是平静地对我说："你还没有走吗？"

我说："老师，你没事吧？"

"没事。"她摇摇头，"我只是想一个人静静。我念高中的时候常来这里看书，那时的河水可比现在清澈多了。"

我本来很想说，"钢筋水泥文明摧残的岂止是一条清澈的小河。"可我没说出口。必要的时候，假装深沉有凸显成熟男子气概的作用，何况在她这样惹人怜爱的女人面前，我更有必要保持我沉默是金的好品性。

只是不知她心里是否认可我也是个男人，而不仅仅是她的学生呢？

在我恬不知耻地幻想着的同时，她只是看着河面继续说道：

“以前，我和我一个朋友常来这里。”

“是男朋友吗？”我终于忍不住问。

“不，是个女生。”她说，“她叫吧啦。这名字很有意思，你说是不是？”

“你别说了，让我来猜。”我十拿九稳地说，“你们后来一定爱上了同一个男孩，你们从好友变成了死敌，对不对？”

她说：“胡扯。”

“或者就是你们都长大了，工作了。她去了很远很远的地方，你们很难再见面了，对不对？”

不知道是不是不愿意听我再胡诌下去，她迟疑了一下回答我：“也对。”

“嘿嘿。”我吸了一口气，发了一句自认为精彩的评论，“人生故事，不过如此，没太多新鲜的。”

“段柏文同学。”让我泄气的是，她完全没在意我短小精悍且充满气质的评论，而是用再平常不过的语气说道，“谢谢你，天色不早了，我们快回去吧，再不回去你家长该不放心了。”

一开始我注意到她说的是“我们”，而不是“我”，这让我的心里立刻充盈着一种说不出的得意，可是她为什么又要在说完这些之后又千不该万不该地加了半句“再不回去你家长该不放心了”呢？那一刻我恨不得有个消声器，可以消灭她最后那令我超级不爽的半句话。

我把伞再举高一点点，等待她站起来的时候，她又说道：“我家离这里很近，走路就可以了。你呢？”

“我……”我结巴了半天终于说，“我？我打车。”

“走到路边，往左拐，路口好打车。”说完这话，她站起身来，把手插到口袋里，往前走去。我举着伞跟着她跑了两步说：“老师，这个给你。”

“我用衣领遮一下就好，用不着了。”她对我说，“在学校待一周了，周末要早点回家，爸爸妈妈一定做了好吃的等着你吧。”

她又哪壶不开提哪壶了！

我只好向她坦白：“我没有妈妈。她在我小学六年级的时候病死了。是血癌。”

“哦，对不起呢。”她看上去有些不好意思。

“没关系的。”我看看她说，“其实那些不快乐很快都会被忘记的。老师，你也是一样的。所以有些事，不要太放在心上。”

她忽然就笑了。然后她将右手的食指竖起来，放到唇边，轻声警告我：“今天的事，不许讲出去。”

“遵命。”我答。

她很认真地说：“谢谢你，段柏文。”

第一次和她面对面，我才发现她的个子真小，一米七七的我站在她面前，像个巨人。可是我知道，这是远远不够的。那一刻我希望自己可以再强壮一点，再强壮很多很多点，再强壮很多很多很多点。

毫不夸张地说，如果有朝一日我有资格可以替她抵挡人生的风风雨雨，要我付出什么我都愿意。

_02

为了抑制对她的朝思暮想，整个周末，我都在《热血传奇》上奋战。

其实，我已经有很长时间没碰过网游了。我最辉煌的网游岁月是在我小学五六年级那会儿，那时的我除了上课之外，放学后基本上属于“如果我不在玩网游，就一定在去玩网游的路上”那种非人状态。为此，我爸差点没把我打骨折，但依旧动摇不了我一颗热爱网游的拳拳之心，后来我终于下定决心痛改前非，是因为我无法原谅自己在网吧连续泡了两天一夜之后，连我老妈的最后一面都没有见着。

说实话，我妈在的时候我并没有体会到她多好，她走后我才发现自己的孤独，深入骨髓。那首家喻户晓的歌唱得一点没错，没妈的孩子像根草。如果你从没当过一根草，你是不可能体会到一根草活在这个世界上的艰难和痛苦的。更可悲的是，我妈活着的时候跟我爸就没啥感情，她死后没一年，我爸就再婚了，娶了一个比他年轻十二岁的女人，据说是什么什么剧团的歌唱演员，长得还勉强看得过去。嫁给我爸爸后她就毅然决然地“退出了娱乐圈”，从此不去剧团了，整天抱着台电脑炒股炒基金炒地皮炒期货，用于池子妈妈的话来说：“就差把老段给炒糊了。”

这个本来就破碎的家庭因为她的加入而变得更加破碎，我也从“一根草”迅速演变成了“一根多余的草”。好在我与生俱来自知之明兼沉默是金的好本事，才得以和他俩和平共处长达三年之久。直到我发奋图强考上天中，过上了我的住校生涯，我憋屈的日子才算暂时告一段落。

是的，憋屈。我用这个词，一点儿也不过分。

算起来，开学快三个月了，这还是我第一次回家。国庆节我爸出差去了云南，我是在于池子家过的，吃得不错，休息得不错，还有于池子替我抄作业。我是真的不想家，如果不是因为实在没衣服换以及资金紧张，估计让我再挨三个月也没任何问题。周六晚上十点多钟的时候，爸爸来敲我的门。他说：“柏文啊，家里的无线网不知道怎么上不去了，你来检查下路由器，好不好？”

我来到客厅，只见她抱着台笔记本电脑坐在沙发上，戴了一副近视眼镜，穿着一套电视上阔太太才穿的那种恶俗的真丝睡衣，面无表情，像个蜡像。

明明是她让我爸喊我来检查的，这会儿她却表现得好像跟她没关系似的。果然是演员出身，令人佩服。

我走到路由器旁边，把它重启了一下。

她冷冷地说：“我重启过很多次了。”

“那就是坏了。”我说，“找电信局来修吧。”

“难道你修不好吗？”毫无疑问，她问了一个相当白痴的问题。不过我还是很礼貌地回答她：“是的，修不好。”

可她接下来的那一句实在是让我的礼貌无法维持下去，她是这样说的：“可是你不在家的时候，它一直是好的呀！”

这是什么屁话！

我看了看我爸。他挥了挥手，息事宁人地说：“不早了，都去睡吧，明天我找电信局的人来看就是。”

“兴许是欠费了。”我说。

她果然上当，大声回答：“不可能，我才缴的费！”

“你有钱吗？”我问她。

她看着我，显然不明白我的意思。

“你什么活都不干，哪来一分钱呢？”我用无比大无比大的声音喊出这一句话，再用无比快无比快的速度回到了我的房间，“砰”一声把门关上了。

真是无比的痛快！

痛快之余，我忽然很想给小耳朵老师发个匿名短信，这件事我已经想了很久了，但一直没有胆子做。她的号码我是有的，不只是我，全班都有。因为第一堂课的时候她就把手机号码留在了黑板上。可是我该发点什么内容呢？

“我想你了。”太俗，俗不可耐！

“猜猜我是谁？”更俗，俗到可以拖出去斩了！

“老师，我是段柏文，请问明天几点返校？”算了算了，这简直就是此地无银三百两！

我斟酌了好久，又拿出手机来编辑了好久，还没个结果的时候于池子给我打电话了，要我把物理作业最后一题的答案发给她。我告诉她我还没做。她笑嘻嘻地说：“怎么，又跟小妈吵架了？”

女生的另一个名字，真的叫“敏感”。也不知道她们哪来那么多触角，偏偏能在你最不爽的时候伸到最让你不爽的地方。

“段柏文，”她拿腔拿调地说，“有一个秘密呢，不知道应不应该告诉你。”

“既然是秘密，还是不要告诉了。”我说。

“也算不上是什么天大的秘密。”她自言自语地说，“可是我不告诉你，就老觉得欠了你什么似的，你说这种感觉怪不怪？”

“你这么说我想起来了，上次去书店买书，你确实欠我五十多块钱忘了还了，我一直没好意思提醒你来着。”

“不要脸。”她在电话那边大吼，“后来我请你吃麦当劳，你说过不用还你钱了。那顿算你请，难道你忘了吗？”

“忘了。”我耍赖。

“鉴于你这么无耻，那个秘密在我心里烂掉了也不会告诉你了，你使劲儿后悔去吧。”她说完，愤怒地挂了电话。

我真弄不明白，她怎么这么容易愤怒。我更弄不明白我为什么要后悔。我太清楚于池子了，她那些破秘密从来都是人尽皆知的秘密，压根就不值钱，我才不稀罕。

夜里十二点多，老爸再来敲我的门。我起初一直没应，他就喊我的名字。夜深人静，他殷殷的呼唤让我毛骨悚然。我只好从电脑边站起身来，去给他开了门。他一直走进来，走到床边，坐下，开始抽烟。

因为刚才的不愉快，我们的开场白显得略微有些坎坷。

“对不起。”我决定低调点，这样他待在我房间的时间才不会太长。

他做了一个手势，如果我没体会错的话，多半是让我不必道歉的意思。我走近他，从他的烟盒里掏出一根烟来，也点燃了，坐在地上开始吸。

关于我抽烟的事，一开始他就没有表现得很吃惊。我并没有刻意去隐瞒他，他也没有很强烈地阻止过我。自我妈走后，我们父子之间的话就不多了。他再婚那天，只请了一些亲朋好友。可我没去，他也没强求。我跑到于池子家住了一周，一周后他把我接回家，推开门，正打算换鞋，我忽然发现我们家门口放拖鞋的鞋架换成了新的，而且从原来的左侧挪到了右侧，我妈给我买的那双蓝兔子拖鞋也从鞋架上消失了。

再一瞄鞋架上的鞋，一双粉红色的漆皮高跟鞋，以其独树一帜的高度高居整个鞋架的最高处，霸道地占据了两格的位置。

我妈显然不可能留下这种极具戏剧风格的遗物。

无疑，这双鞋也宣告了她的主人恶俗的品味和从今以后在我家高不可攀的地位。

说实话，我本打算回来就回来了，不说话糊弄过去就算了，可是一进家门就发现光一个鞋架就发生了如此翻天覆地的变化，以后的日子要怎么过？我找不到理由不发火，随便从鞋架上拽了一双拖鞋下来摔在地上，吼着问："我的拖鞋呢？！"

爸爸急忙说："洗了洗了，你先随便穿双别的不行吗？"

幸好是洗了，如果是被她扔了，我立刻用那双高跟鞋敲扁她的头。

我走进自己的房间，发现床上的被子褥子都换成了新的，枕头边放了几套新衣服，墙上挂了一幅我看不懂的水墨画，连那台旧电脑的屏幕都被擦得锃光瓦亮，整个房间弥漫着一股兰花味空气清新剂的味道，陌生得吓人。

我怀疑我是不是走错了门。

吃晚饭的时候我爸喊了我两次，当我走进餐厅，他们俩已经坐定，在等我。我走过去，看了她一眼，她极不自然地笑了一下，用事先排练好的语气说了句："嗨！"活像前来求职的公关小姐。不过话又说回来，她的确有做公关的潜质，否则怎么能在芸芸众生中脱颖而出，顺利跻身我们这个虚位以待的家并且掌管了我爸的钱包呢？

我懒得搭理她，捞起筷子就扒饭。幸亏她也没做出替我夹菜之类的雷人之事，我们这尴尬的第一顿饭才算这么熬了过去。

从一开始，关于她的事情，我和我爸就一直只有冷战，没有吵闹。不过，在于池子家那对热心母女的帮助和劝说下，我最终很理智地接受了这个现实。凭良心说，就算我最不痛快那阵子，也并没有忘记他是我爸爸，忘不掉他小时候把我举得高高的，带我去动物园看大猩猩表演。只因为有个陌生人老是横隔在我们中间，才让我们不得不遗憾地变得疏离。

还记得我拿到天中录取书的第二天，他带我去了我妈的墓地，那一次他哭了，哭得很伤心。在我的记忆里，他好像从来都没有为我妈这样哭过。我本来以为我也会哭，还特意带了大包的纸巾，奇怪的是我并没有。我满脑子想的都是我盼望已久的新生活要开始了，我的妈妈正在另一个世界看着我，应该会多一些欣慰，少一些担心，就是这样。

因为母亲的早逝，和同龄的孩子比，我不得已多出了一份早熟和世故。但有时候，我清楚地意识到这种早熟和世故也许只是我自以为是。在许多许多人眼里，我还只是个孩子，好比——在某位老师的眼里。

一想到这里，我就有点生气，恨不得立刻证明点什么以表现我的深刻。

“你给我点钱吧。伙食费不够了。”沉默了很久，我发现只有这句话值得对他说。

他含着烟，手伸到口袋里掏出钱包，半眯着眼睛，从里面掏出一百元递给我。

“不够。”我说，“下周要月考，我可能一个多月都回不了家。”

“先拿着。”他说，“身上没现金了，回头打你卡上。”

“你的钱都被她用光了吧。”我把那可怜的一百块顺势塞到屁股底下。

“你千万别这么想！”他说，“你对她有偏见，她这人最大的毛病就是不太会说话。但公平地说，为这个家，她也付出了不少。”

可怜他这么一大把年纪，还在玩着自欺欺人的游戏。我才不信他深更半夜敲开我房间的门，就是为了和我面对面抽一根烟。鬼都看得出他的超级郁闷以及对这份忘年之恋的无限纠结，此时此刻，我觉得我唯有少说两句才算慈悲为怀。

“天中还好吧？”他问我。

“还好。”

“老师怎么样？”

这个问题让我想到小耳朵老师，于是我很乐意地充满感情地回答道：“非常好。”

“很难听到你表扬老师。”他说，“天中看来果真名不虚传。”

我们正说着呢，屋外忽然传来一声巨响，如果我没有猜错的话，应该是有人摔门而出了。他犹豫了一下，像是想要站起来，但最终没有，只是眼睛动了一下，然后把手里的烟头狠狠地掐灭了。

“你们吵架了？”我问。

他不答。

“你不去追？”我再问。

“随她去！”他终于给我面子，撂下一句狠话。

那晚他最终有没有去找她我不知道，但他离开我房间后，我很长时间才睡着，脑子里全是小耳朵老师的音容笑貌，如中邪一样驱之不去。快到凌晨的时候才辗转着睡去，偏偏又梦到她，拿了一根教鞭站在我面前，类似马鞭，长长的粗粗的，一端软软地垂在地上。她好像多年前玩的某个网游里的驯兽师，“啪”的一声把教鞭猛抽在地上，很严厉地对我说：“段柏文，这次月考你是班上最后一名，天中要把你开除掉！”

手机就是在这时候响的，打电话的人是于池子。虽然它惊醒的是我的一个噩梦，但我还是没好气地冲着她喊道：“爷在睡觉，难道你不晓得吗？”

“睡觉你开什么机！”她声音比我还大，“再说都几点了，下午三点前要返校，难道你不知道吗？”

“几点了？”我一惊。

“十二点半啦。”于池子说，“是这样的哦，我想过了，关于那个秘密的事，我想我还是告诉你比较好。”

我懒洋洋地说：“憋痛苦了吧，求我我就听一听。”

她把声音放低，很神秘地说：“是关于小耳朵老师的，还需要求你你才肯听吗？”

我听到“小耳朵”三个字就一下子清醒了，犹豫了几秒钟不知道该如何作答。就这短短几秒钟被她抓住了把柄，笑声直刺我耳膜：“我就知道你扛不住，现在求我啊，求我我就告诉你。”

这个无聊的臭八婆，居然要我！

她这么做，无非是想探询我心里的秘密，我才不会上当，当机立断挂了电话。

估计她会气得把电话也给摔掉。

摔坏最好，如我所愿。

不过挂了电话后我下了一个决定，这次月考，无论如何要蹦进前三。

第一次月考我的成绩差强人意，在全班二十名左右，在全年级就压根排不上趟了。其实学习对我而言一向不是一件难事，只要稍下功夫就有不少提升的空间。主要是我爸对我的名次一向不是很在乎，不像于池子的妈妈，把名次当成命，相比之下，我对自己的要求也就不算严格。

但为了她，为了不会有朝一日被她“开除”，最重要的是为了成为她眼里的一个重量级的人物，我决定拼死一搏。

就在我下了这个伟大的决心之后，我觉得自己浑身上下都充满了力量。我踢掉被子，从床上爬起来，准备洗漱一下赶到学校去复习。

扫兴的是她竟然在家！

我推开门就看到她，她的耳朵就贴在虚掩的门缝上，脖子伸得老长，样子很白痴。该死，一定是昨天爸爸走的时候忘记关门，可是，她居然敢光明正大地在我门口偷听！

我盯着她近视眼镜后面那双狡猾的眼睛，死死盯着，我想让她惭愧到无以复加，惭愧到战栗，然后在我面前“哇”的一声哭出来才好！可是她没有我想象中的脆弱，被我发现了她卑劣的行径，她好像也没什么耻辱感，还敢抱着臂冷冷地质问我：“你昨晚都跟你爸说了些什么？”

“难道你一大早就在我门口等答案吗？”我没打算原谅她，逮到机会教训教训她也未尝不可。

“刚才你在跟谁打电话，是你那个总是叽叽喳喳的发小吗？”

她推推自己鼻梁上的眼镜，义正词严。

岂有此理！她以为她是谁，居然管起我来了！

而且我惊人地发现，她脸上居然有了好多皱纹和雀斑，真是难看。就算爱情这件事真的毫无道理可言，可我爸会喜欢上这样一个人也真算得上千古之谜。

我用肩膀稍许撞了她一下，绕过她去了卫生间，并且狠狠地关上了门。可是我万万没想到的是，正在我用力刷牙的时候，她居然又跑过来敲卫生间的门，力道之大，令人发指。

难道她就没想过，如果此时此刻我正在洗澡或者是拉屎，她这么做简直就是毫无廉耻！！

我继续不理，就听见她在外面用歌唱家的嗓门尖声叫道："段柏文，你给我出来！有话当面说清楚，有本事就不要做那种下三滥的龌龊事！"

这下我完全蒙了，我做啥了，招谁惹谁了，还下三滥！！！

难不成她一大早脑子被马踩过了不成？？？

_03

于池子以前跟我说过一句狗屁不通的话：脾气大不如脸皮厚。

现在我觉得这句话超有哲理。

我秉着“脸皮厚”的伟大精神在洗手间里沉默了两分钟后，外面渐渐没有了声息。不过我想来想去，依然对她加诸在我身上的“下三滥、龌龊”这类形容词有些百思不得其解。我承认我不喜欢她，但她也没有任何值得我去报复的地方。堂堂段柏文，怎么可能和一个娘们儿过不去？她不是太小瞧我就是太高看她自己了。

二十多分钟之后，当我洗漱完毕走出卫生间，却意外地发现她并没有如我想象中那样站在门边守株待兔或是坐在客厅的沙发中央一把鼻涕一把泪地抽风，而是神奇地消失得无影无踪！

挺好。

可我万万没想到的是，那个女人居然像个幽灵一样待在我的房间里！而更让我不能忍受的是—她居然拿着我的手机在发短信！

我的手机，连我爸都没有碰过，她凭什么？

我整个人都快烧起来了，直冲过去抢我的手机，谁知道她闪得飞快，我连她衣角边都没碰得上，她已经顺利位移到了窗边，并准确地按下了发送键，脸上还露出了得意的微笑。

我敢保证，此时此刻如果拿出物理公式来进行精确的计算，她的速度起码是我的2.468倍！在此之前，我还真不了解她身怀如此绝技！

“还我。”我说。

“找到你爸自然还给你。”她说。

我走上前，一直走到她身边，从她手里抢过了我的手机。可能是我的气场吓到了她，整个过程很顺利。我把手机放到口袋里，拎了书包就往外面走去。然后听到她大声喊我的名字，在我身后开始了她的长篇控诉。

“段柏文，我告诉你，你没理由恨我！这些年要不是我陪着你爸爸，他过的会是什么日子，你想过吗？我嫁给你爸的时候有多少人反对，最终弄得我众叛亲离一无所有，你又知道吗？我从单位辞职也不是你们所想的什么我懒啊怕吃苦啊，是你爸他自己不喜欢我和外面的人有接触，你都清楚吗？这么多年过去了，我受了多少委屈，我对你爸的感情真不真，相信老天有眼都看得见，你成天想着破坏我和你爸之间的感情，对你又有什么好处呢？你不接受我，没有关系。你小，不懂事，我也可以不跟你计较。但有一点你必须要明白，我董佳蕾不欠你什么，你也没资格成天对我黑着一张脸。如果这个家不存在了，你也捞不到任何好处，就是这样，你听明白没有！”

原来她叫董佳蕾。

可是她怎么可以连名字都这么小三?

我头也不回地换了鞋出了门，听到屋内传来她嚎啕大哭的声音。

我一边飞快地跑下楼一边掏出手机来看，发现屏幕上面那条她刚发出去的信息竟然是这样的：“爸爸，你在哪里？开机后赶紧给家里打个电话好么？我很担心你哦。”

这臭娘们儿，居然冒充我。

但她真的太笨了，要知道我从来都不会用这种婉约派的文风和我爸沟通。我要是给我爸发短信，通常是如下两句：

其一，没钱了，打点儿到卡上。

其二，本周末不回家。

干脆利落，简单明了。如同我们的父子关系。

她真是一点山寨精神都没有。

我把手机关掉了。当然我知道我爸不会有事，这只是他们二人的游戏。在这个游戏里，段柏文永远都是一个多余的角色，若是要跳出来当主角，必然是自取其辱的结局。

十三四岁的时候老盼着他们吵架，盼着我爸可以一巴掌把她挥到门外去，盼来盼去只盼了个透心凉。现在他们终于吵架了，我却已经心甘情愿变成了路人甲。

午后的103路空空荡荡。从这里到天中，一共需要十一站。以前读初中，每次坐这班车都是我最饿的时候，我上学的时候他们通常都还在熟睡。很少有人会管我吃什么。记得有一次，我出门之前碰到她出来上卫生间，睡眼朦胧的她说了句：“你不吃点什么就去上学吗？”说完就砰地关上了卫生间的门，好像早饭可以自己从天上掉下来，而我却不知好歹不愿意伸手去接一样。

如果光是这些，也就算了，继母对孩子没感情，父亲对孩子心存内疚却无能为力，全天下差不多此类故事都是一模一样的，我没什么接受不了的。但我永远都不会忘记的是，有一次她从我的床底下搜出我的脏袜子和脏内裤（我发誓，我真的不知道它们是什么时候掉在地上的，甚至有一段时间我找了它们很久都没找到），没有替我洗掉就算了，还用一只衣架挑着它们，笔直地走到我爸的面前，不说话只摇头，像抓住了我犯下的滔天罪行般，痛心疾首的同时却也控制不住地洋洋得意。直到我冲了过去，把它们抢了下来扔进了洗衣机，这件事才算告一个段落。

关于一个少年的自尊心，我想她不会懂，正因为不懂，所以她才会做出比我忘掉脏衣服还要无耻的事。也许她说得对，这么多年，她董佳蕾不欠我什么，因为她不是我的什么人，所以无所谓欠与不欠。但我的怨恨也绝不是凭空而起，日复一日，它们在我心里滋生繁衍，早已经变成了参天大树，只不过生活教会我把它藏到了其他人看不到的地方而已。

“痛苦让人成长，如果这是命运给我的馈赠，我想我会欣然接受，并好好珍惜。”

这是初中二年级的时候我曾经写在作文里的一句话，那篇作文让我得了一个大奖，拿到了一千块钱的奖金和一个金灿灿的奖牌。

还被一家文学刊物封以“文学新人”的称号。在我漫长的十七岁里，收获的荣誉并不多。但我希望我的这些少有的亮点，可以被一个人了解，这样我在她的心里，才会有那么一丁点儿特别吧。

胡思乱想中，我到站了。我边下车边琢磨着一会儿到学校吃点啥填饱肚子时，忽然看到于池子。她背了个五彩的大书包，穿着一件深蓝色的薄棉外套，上面有很大很大的各种热带鱼类，这让她看上去很像一个鱼缸，而且我很担心这些鱼游在这样的鱼缸里，会窒息而死。

她好像早就等在那里，知道我这个时间会出现在校门口一样。看到我以后，她像安上了弹簧一样自动弹到我面前，把一纸袋冒着香气和热气的麦当劳递到我的鼻尖，对我说：“我妈非要我带给你的，烦都烦死了！”

这还真是雪中送炭啊，天知道我正饿得前胸贴后背！于是我毫不客气地接过，取出汉堡就开始大嚼起来。

“有时候我真怀疑我妈是你亲妈而是我后妈，”于池子跟在我后面说，“她让你下周末去我家，她给你烧红烧排骨和糖醋鱼。可是我这周回去你知道我吃啥了吗，一种由各种豆子和很少的米饭组成的杂粮饭！吃了两天！她还嫌我脸圆，号称要我减肥瘦脸，你说天下有这种妈吗？”

不明白为什么女人说起话来，都喜欢这样上气不接下气一扯一大通，从来不管听的人耳朵受得了受不了。

当然她除外，她的气质太过特别，不需任何言语就能吸引众人的目光。

怎么办？！为什么我心里来来去去都是她。

“喂！”于池子忽然拉我一把，大惊小怪地喊，“你衣服上是什么啊？”

我顺着她的眼光看过去，只见我袖子上有一大块绿绿黄黄的东西，也不知道是啥，多半是刚才在公共汽车上不小心蹭上的。

“唔，真恶心！”于池子一只手捂住鼻子，一只手从书包里掏出湿纸巾来帮我用力地擦。从初一起她就这样，乐此不疲地在我面前扮演大妈的角色。

我站在那里大口大口啃着汉堡，任由于池子一边擦一边数落我。就在这个时候，我看到她穿着一件简单的米色连身毛衣裙走来，毛衣裙上什么图案都没有，非常宽松，最要命的是她还穿着白色的长袜配一双天蓝色的球鞋。即使是男生，我也知道这身打扮需要多大的基础身材，首先白色的长袜就不是谁都能穿得了的，再者平底鞋，更加是对身材比例的一种挑战。她就那样远远地慢慢地迈着小步子走过来，像是一只踩着湖水散步的鹭鸶，显然把我和于池子这种相形之下只能用猥琐来形容的造型彻底毙翻了。

她看到了我们。

而此时此刻我若是推开于池子，更是此地无银三百两。于是我只能呆站着，还含着汉堡的嘴张成O型，直到她一直走到我们面前。

她好像微微跟我点了一下头，又好像用似笑非笑的口吻说了句“这么早就到校了啊”之类的话，也可能什么都没说。反正那一刻，我智力骤失，跟傻子没两样。

“小耳朵老师好！瞧瞧这个邋遢鬼，衣服脏成这样！”在于池子清脆的笑声里，看着她袅袅远去的背影，我觉得我整个人都裂了。

“啧啧啧，我看你就算了，你不是她的那盘菜。”见她走远，于池子把纸巾摊在手心，叉着腰表演着《翠花上酸菜》的桥段，见我没笑，她又把纸巾一把甩进垃圾桶里，说，“不过也没啥，一般说来，失恋让人伤心，暗恋让人愉快！”

“挺有经验的。”我没好气地说。

“你承认你暗恋了？”她狡猾地问，问完指着我哈哈大笑，“段柏文，你脸红了，哈哈哈，你脸红了！”

对于池子，最有效的一招就是不理她。我埋头往前走，她追上来，拦住我说：“我真的有小耳朵老师的秘密，你要不要听？”

“说吧，再不说我看你就要爆炸了。”不管这秘密是真是假，出于对于池子的同情，我觉得我也非听不可了。

“她，和，她，男，朋友，分，手了。”可能是太喜欢这个秘密了，这么简单的一句话，于池子竟把它分成N段依依不舍地从嘴里吐了出来。

“谁和谁男朋友？”我明知故问，不过是想知道一个确切的答案。

于池子凑近我的耳朵说道：“小耳朵老师决定留在天中教书，可她男朋友的事业在北京，所以，他们有了分歧，所以，就分手喽。”

“哦。”我装作若无其事地答。

“但是，小耳朵老师心里很纠结，我认为她的决定随时都可能改变。”

听着这些话，我忽然像小时候洗澡时耳朵不小心灌进了水，脑子里一阵轰轰乱响。好不容易响完后，我问于池子：“你都哪里得来的这些八卦啊？”

“我不告诉你。”她又嘚瑟起来，“这是秘密！”

我把麦当劳的纸口袋塞回她手里，背着书包往学校走。她在后面跟着我，从大操场拐到小操场，从小操场拐进教学楼的时候，她在我身后小声地委屈地说：“秘密难道不是可以交换的吗？段柏文，你什么时候可以告诉我一个关于你的秘密呢？”

我转头对她说：“我睡觉的时候会放屁，算不算秘密？”

“你撒谎。”她看着我冷静地说，“你都睡着了，怎么知道自己在放屁？”

我愣了一下回答她：“有别人听见啊。”

“谁？”她忽然表情紧张。

“我不告诉你。”我说，“这也是秘密。”

“算了！”她甩甩头，飞快地说，“我大方一点告诉你，我用百度找到她的博客了。”

“我才不信。”我说，“她不会用真名写博客的。”

“我没有骗你。”于池子发誓说，“反正信不信由你，那的的确确是小耳朵老师的博客哦，因为在上面，也写到好多我们班的事哦。”

“真的？”

于池子并不答我，而是背着手仰起头问我："你只需要回答我，周末的时候，你是不是跟她一起到过河边，还为她撑了伞？"

听于池子这么一说，我真的裂了。

_04

整个下午，我放弃了我原本的“奋斗”计划，溜到学校外面的网吧去上网。遗憾的是，一向自诩为电脑高手的我用了无数种方法去搜索那个于池子所说的弄得我心潮澎湃的博客，均无任何结果。当然我不会告诉于池子这样的糗事，所以我也绝不会笨到去问她那个搜索的关键词到底是啥。就在我揣着一颗挫败的心一无所获地走出网吧大门的时候，于池子正好发挥她的大妈本性打电话来问我在哪里。

我问她：“说简单点还是具体点啊？”

“具体点！”

“好吧，我在男生宿舍三楼男厕所的马桶上。”

“猪。”她骂我。

我懒得理会她，因为我脑子里还在琢磨我的关键词：小耳朵，耳朵，李珥，珥，天中，高一（7），语文教学，路虎，小河，伞……为什么一个都不对？

“猪，你帮我个忙，好吗？”于池子说，“这一次你不帮我我就死定了！”

我早就习惯了这样的开场白——这一次你不帮我我就死定了！真闹不明白她为什么总是能这样状况百出，钥匙掉在砖缝里啦，可乐打翻到手机上啦，银行卡忘在提款机啦，隐形眼镜忽然就从眼睛里落到课桌上啦……而趴在地上用一根铁丝钩钥匙啊，用电吹风吹干手机的每个零部件啊，到银行里去求人把卡找出来啊，课间冲到眼镜店买一只五百二十五度的隐形眼镜啊等这种倒霉事，往往就会落到我这个倒霉蛋的身上。

这不，她又来了。而我唯一能做的，就是用沉默等待她匪夷所思的下文。

“我混论坛混出事了，人家就要找上门来了。”

“具体点！”

“哎，我在一个论坛上认识了一个朋友，我俩经常绑在一起跟别人吵架，吵得特过瘾的时候，就不小心交换了手机号。可是你知道不，世界就是这么小！这个人就在我们学校读高二！更不幸的是，他对我的才华佩服得五体投地，他说今天晚自习的时候要来找我请教一些问题。可是我不想见他，就是这样。”

“不见就不见呗。”

“可是我告诉了他我叫段柏文。”于池子说，“我知道我不对，你要骂就现在骂我吧。”

这个可恶的女人，她又在装可怜了！

“见网友这种事好纠结的哈，你就顺便替我挡了哈。做人要有良心哈，不要忘了我才免费送你一个大秘密哈，就这么说定了哈！”她哈完，“嗒”的一声飞快地挂了电话。

我暗暗发誓，要帮她，我真的是猪。

我在学校外面胡吃了一些东西当做晚餐，到校的时候经过她的办公楼，还是忍不住停了下脚步。她的办公室就在一层的角落，门窗皆紧闭着，但可以看到里面透出的微光，如同一个黄色柠檬里挤出的微酸的汁，让我一颗平淡的心忽然之间就有了滋味。我像个愤世嫉俗的诗人般想——如果这就是幸福，幸福其实真他妈是件超级简单的事。

我更为出格的想法是：要是我此时胆大包天，给她送去一杯奶茶，不知道她会是什么样的反应。

当然事实上我什么都没做，乖乖地走进了教室。

于池子没开玩笑，晚自习还差十分钟，高二文艺男就真的空降了，他刚露面，于池子就拼命拿胳膊捅我。

“来了，来了。”她如临大敌。

我抬眼看了一下，一个矮个子男生，穿了一件紧身的短袖T恤，搭了一条可笑的条纹围巾，正踮脚往里张望。我埋下头继续看我的书，不打算理。

“求你，求你。”于池子都快哭了。

我正要喝斥她闭嘴，就听到教室外面传来我盼望已久的熟悉的声音：“同学你找谁？”

“我找段柏文。”文艺男的声音真清脆，像个女的。

小耳朵老师进了教室，抱着我们的作文本。那些本子对她而言简直太重了，我不由自主从座位上弹跳起来，冲到教室门口，帮她把本子接过来，放到讲台上。

我的动作一定太谄媚了，以致于底下发出了一片哄笑，其中当然数于池子的最刺耳。可我压根没空在意这些意味深长的笑，因为她在跟我说话！

她说："段柏文，外面有人找你。"

"哦。"我说。

"快去吧。"她说，"马上要上自习了。"

"哦。"我闷头闷脑地来到教室外面。高二男上上下下打量我一番，这才用他的女人腔尖叫道："你就是米粒儿？"

"不是。"我说。

"那你是不是段柏文？"

"是。"我说。

"你认识我吗？我叫横刀。"他一面说，一面举起一只手来，像一把锐利的横刀一样划破夜空。

我摇头。

可怜的高二男横刀先生收回他的手臂，脸色发青，我真担心他就要横死在我面前时，他才缓缓吐出三个字："被耍了！"

我回到座位上，始作俑者于池子趴在那里，笑得全身抽搐。

"抽你！"我恨恨地说。

她抬脸，给我一个谄媚的笑，脸都要笑肿了。

我的眼神却不知不觉地晃到讲台上去，只见课代表上去抱了作文本要发，而她人已经不见了。于池子在本子上写了两个字给我：后门。可惜我对她的善解人意并不待见。因为我心情很不爽，原来今晚不是小耳朵老师值班，值班的是五十岁的教数学的老头。他来晃了三次，说了两句废话，大家都视他为透明人。如果换成她，总是有人问她问题，跟她说笑或是讨论些新潮话题。气氛真的会大不同。

可她偏偏昙花一现，徒留我一颗灰暗的心。

唉，不知道她现在在做什么，在办公室呢还是已经回了家？其实她家离学校还挺远的，如果路虎车不来接她，她应该怎么回去，打车还是坐公交车？也不知道她的收入高不高，传说中天中的年轻老师都很穷，要是她那有钱的男朋友真的逼她去咱们的伟大首都北京，她会不会真的辞职呢？

我的逻辑已经因为思念而变成一根短路的电线，瞬间就烧坏了我的整个大脑。

我有关于她的太多太多的问题，却没办法得到答案。甚至，我连于池子那种偶遇她博客的狗屎运都没有。这是不是说明，我跟她太没有缘分？

更重要的是，大家都拿到了作文本，偏偏就差我的，这是为什么？难道是因为我最后一个交上去，她也就最后一个批改不成？

不知道她喜欢什么风格的作文，但我有足够的自信，只要她喜欢，我就能做到。

下课铃声准时地响起。我低头收拾我的书包，该死的于池子又拿胳膊拼命捅我，说：“来了，来了！”

“别烦我！”我冲她喊，可是当我抬起头来顺着于池子手指的方向往外看去的时候，我傻了——来的人竟是董佳蕾。

她穿了一件红色的俗得要命的外套，戴了一个黑框眼镜，正在朝教室里面张望。她庞大的身躯堵在正门口，也不知道让一让，从教室里蜂拥而出的同学都不得已撞上她的胳膊或是肩膀，然后奇怪地瞪她一眼。好在她是个高度近视，于是乎发现目标的过程被幸运地拉长，就在她的眼波快要扫瞄到我的时候，于池子救了我一命，她跑到教室门口，用甜甜的声音大声喊道：“阿姨，你怎么来了？”

阿弥陀佛。

我可不想大家为我的身世而津津乐道。

“这边来这边来！”于池子一把就把她扯到了过道的那一头去。等到教室里其他人全部走光以后，她才一个人跑进了教室，跑到我座位边一口气向我汇报：“她找你爹。她说你爹没回家。她问你爹有没有给你发短信或打电话。”

“没有。”我说。

“要不你自己去跟她说。”于池子低声说，“我看她快疯了。”

我当机立断吩咐于池子说：“你掩护我，我从后门溜。”可惜我们根本来不及做出任何行动，董佳蕾已经冲进了教室。

“段柏文。”她走过来，站在我面前，两只手都插在口袋里，“你转告你爸爸，是个男人就不要这么懦弱，躲躲藏藏的算什么本事，有什么事挑明了直说！”离近了我才发现，尽管她说话的声音是一贯的盛气凌人，但她脸上明显是一副含冤受屈的表情，皮肤泛红，眼睛肿得像核桃，粗略估计，至少哭了三个小时。

此时此刻，我觉得我爸不仅是个男人，而且是个伟大的男人！

早就该这么整了！

于池子好心劝她说："阿姨，这是在学校，你小声点，有什么事我们到校门口去说，好不？"

"是不是在你家？"她忽然转了方向，指着于池子说，"他爸是不是跟你妈在一起？有些事情我一直不说，就别以为我不知道！"

"她都在胡说八道什么啊！"于池子惊讶地看着我，等待我的援助。

"被我说中了吧。"她逼近于池子，一把拖住她说，"母女配父子，你们都把我当傻子。走，现在就带我到你家，当着你妈的面把事情搞个水落石出！"

"放开我！"于池子完全被她的疯样子吓住了，拼命挣脱，却无济于事。

我对她的满口鬼话实在忍无可忍，顺手操起桌上也不知道是谁的一本厚厚的参考书就重重地砸到了她的头上。她不得已放开于池子，腾出手来要对付我。于池子跳起来，用身子死死压住了她胳膊。恼羞成怒的她只好伸出另一只手，"啪啪啪"地极有节奏感地打到于池子的头上，于池子痛得直叫，却还是不肯松开她，她们紧紧地纠缠在一块儿，使出山寨版的柔道动作，碰翻了周围的两张桌子。桌上的书本全掉到地上，半杯没喝完的水打翻在书本上，不知谁的桌肚子里还滚出两只苹果。

天下大乱。

我冲过去，好不容易才把她俩分开。我没记错的话，这一定是于池子的“人生第一架”，其实她并没怎么被打到，但她显然是被吓坏了，坐到地上就哇哇大哭起来。我一把纠住了董佳蕾的衣领，竖起了我的拳头。老实说，从十二岁的某一天起，我就幻想着这一刻，把她痛痛快快地打一顿。老天有眼，今天她自己送到我面前，我若不把她打残了，就像她嘴里所说的那样，太懦弱，枉为男人！

“打啊！”她血红着眼毫不示弱地盯着我说，“你不打不是人！最好把我打进医院，成你们天中的头条新闻！这样我就不信你爸还不出现！”

“不要啊！”于池子深知我的脾气，她从地上弹跳起来，拽住我的衣服，试图把我往后拉。但此时的我已经红了眼失了心什么也管不了，一记拳头重重地打在董佳蕾左边的太阳穴上，她的眼镜被打歪了，斜挂在脸上，造型衰到毙，发出杀猪般的叫喊声，这更加激发了我体内的暴力因子。就在我要挥出更加有力的第二拳的时候，身后忽然传来她的声音：“段柏文，住手。”

一片混乱中，那声音不大，却如此清晰婉转，瞬间就奇异地控制住了我那根叫做愤怒的神经。

我松开了手。

她走上前来，先拉开于池子，再拉开我和董佳蕾，柔声说道：“这里快熄灯了，有什么事到我办公室去说吧。”

“不去！”董佳蕾坐在地上，叫嚣着，“我要见校长！”

“我作证，是你先动手打人的！”于池子一面哭一面尖叫着指责她。

“你是谁？”她问董佳蕾。

我觉得很丢人，相当丢人，万分丢人。

就在这时候，教室里的灯熄灭了。四周很暗，暗得让呼吸声也被放大了数十倍。不过我还是能清晰地看到她的脸，那样轮廓分明，挂着好看得要死的微笑，如若不是天使降落人间，她又怎么可能做到如此与众不同？

“我是段柏文的继母。”董佳蕾在一片黑暗中开始了她的自我介绍，语气尖而急促。真是破坏气氛。

“滚！”我爆发出一声大吼。

“跟我来。”她说完这三个字，好像连看都没看我们一眼，就转身往教室外面走去。

我身不由己地跟着她，去他妈的董佳蕾，去他妈的于池子，去他妈的一切的一切。

“跟我来。”那一刻我真觉得这三个字像一块纯白的纯棉抹布，将这一晚上我所有的愤怒怨恨不安痛苦都擦得干干净净，不留丁点儿痕迹。

天涯海角，随她而去，我愿意。

_05

我一定在哪里见过那幅画——不美的少女长了鸟一样的身子，双翅尽失，红唇如血，绝望地看着天空。奇异，诡秘，抑郁，伤感。

我没想到她会用这样的图做屏保。在我的心里，她应该是温暖、明朗、愉快的代名词才对。

她给董佳蕾递上一条湿毛巾，一杯热茶，好心安慰她："你也别太急，说不定等你回家，他爸爸已经到家了。只不过手机没电而已。"

董佳蕾微仰起头，一只手用毛巾捂住眼睛，另一只手伸出一根手指头在空气里对着我指指戳戳，说："我家男人我最清楚，他就是出事了，不然不会一天都没有消息的！可你看看他这个做儿子的，一点也不关心，我让他打个电话他都不肯，居然还动手打我。老师，你说我是不是该报警，让警察把他抓起来？"

“手机都关机了，你打不通，他也一样打不通啊。不过打人是不对，”她转头对我说，“段柏文你下次不可以这样。”

我看着她，她也看着我，我们的眼神有刹那的交流。虽然她在责备我，但我知道她懂我，感谢她的冰雪聪明，让我的内心可以在她面前一览无余。所以，在我还没开口说话的时候，她又对董佳蕾说：“我看这样吧，时间也不早了，你先回去，留个电话给我，我跟段柏文聊一聊。有什么消息，我给你打电话？”

“那你也把手机号留给我。”董佳蕾用命令的语气对她说道。

“好。”她并不介意她的粗鲁，而是微笑着从桌上拿起一张纸，爽快地写下她的号码递给她。董佳蕾有些不信任地拿出手机拨这个号，直到手机在她的办公桌上响起来，董佳蕾才意犹未尽地站起身来，对她丢下了另一句命令：“等你的电话！”

她用的彩铃，居然是我最喜欢的一首英文歌：《Wild World》

Now that I've lost everything to you.You say you want to start something new, and it's breaking my heart you're leaving.Baby, I'm grieving…

现在我终于失去了你和你的一切。你说你想要开始新的生活，你的离开刺痛了我的心。宝贝，我是这样的悲伤……

我喜欢这首歌是因为它的歌名——《狂野的世界》。

可是，为什么她会选择口味如此之重的歌曲来做彩铃呢？

看来我对她真是一点儿也不了解。

“老师，你替我好好管教他！”经过我身旁的时候，董佳蕾忽然伸出手，重重地推了一下我的头，这才像头蠢驴一样不甘不愿地踱出了办公室。她用力很猛又出手突然，我被她推得晃了好几晃才坐稳。她紧跟在董佳蕾的身后，也伸出手拍了拍我，但那一下拍得很轻，若有若无，跟前者有千差万别。

我当然懂她的意思。

不必介意，是的。我怎么可能放低姿态，跟一个疯子计较呢?

可是，当她送走董佳蕾回来，办公室的门被轻轻合上的一刹那，我突然觉得呼吸不畅。

我就要死了，这是一定的。

“对不起。”我差不多是拖着哭腔对她说。天知道我是多么想在她面前谈吐优雅气质不凡成熟老练风度翩翩，可偏偏我最不堪的一面就这样无情地展示在她的面前，不能不说这是我的悲哀和不幸。

“为什么要说对不起？”她微笑着问我。

我答不出来。可我就是觉得对不起她，都怪我太不争气，才给她平添这些麻烦。

“于池子还在外面等你。”她说。

“不是你想得那样的。”我慌忙解释，涨红了脸。

“我想了什么？”她反问我。

“你心里清楚。”我闷头闷脑地答。

“自以为是！”她在办公椅上坐下，“我现在算是明白为什么你要把这篇作文写两遍了。”

我抬眼看她，等她公布答案。

“你有两个目的。”她说，“一是想考考我这个老师的水平；

二是想吸引我的注意，告诉我你的作文写得很好，对不对？”

怎么说呢，算她答对了百分之八十吧。

“我给了你的作文最高分。”她说，“并准备贴到教室后面给同学们看看。能把这么平淡的作文题目写得这么精彩，看来少年作家段柏文果然名不虚传！”

我毫无心理准备地被她夸，整个人都快浮起来了。看来她对我的过去还有些了解呢，怪不得我的作文本没发下来，原来她别有用意。

“不过好在你天生不会打架。不然她今晚至少丢半条命。”

我很高兴她称呼董佳蕾为“她”，而没说你妈啊，继母啊什么的。不过我觉得她真好笑，打架还有什么会不会，生起气来就挥拳头呗，哪有那么多路数可言。她却好像明白我心里在想什么，振振有词地说：“这里面有个运气的问题，所有的力量，都要集中起来放在拳头上！不然，敌人不会怕你。”说完，她还在我面前挥起了拳头做示范，神情就像韩剧里那种天真派的少女。就在我完全搞不清她的路数的时候，她又俯下身靠近我说：“记住了，男人不可以打女人。就算万不得已，也不可以。”

“你是女权主义者吗？”我问她。

“不是。”她说，“但我希望你记住我的话，下次不要那么冲动。因为冲动是魔鬼，最好离它远一些。”

“可是那个女人比魔鬼还可恶。”我恨恨地说。

“你爸爸不会有事吧？”她问。

“你不觉得大人们吵架都很无聊吗？”我说，“我爸无聊，董佳蕾无聊，我可不想陪他们一起无聊。所以也请你不要理会这种无聊的事。”

“呵呵。”她笑。

“你在笑话我吗？”我问她。

“哪里。”她说，“我一直以为你只会在作文里说长句子。”

我不得不佩服她的机智，避重就轻，点到为止。相信每一个和她相处的人，都可以体会到这种舒服和轻松。

“那就赶紧回宿舍休息吧，不早了。”她对我下了逐客令。

“你呢？”我不知死活地关心她。

“我还有些小事。”她说。

“你一个人回家不怕吗？”我问她。

“怕什么？”她笑，“我又不是小孩子。”

正说着，她的手机就响了起来，依然是那几句：“Now that I've lost everything to you, You say you want to start something new.”

她当着我的面挂掉了来电。

我忽然心疼，如果这代表她的心声，她该有多么忧伤。

但此时，她一定需要安静，不想被人打扰。

“老师再见。”我跟她道别，低头走出她的办公室。

“晚安，段柏文。”就在我走到门口的时候，她忽然大声对我说。她的声音真的太甜美了，而且好像从来都没有一个人，特别是一个大人，如此郑重地跟我说过“晚安”这个词。我觉得我整个人控制不住地颤抖了起来，只能勉强地点了一下头，加快速度离开了那里。

身后又隐约传来那熟悉的彩铃声，如果我没猜错的话，这一次她依然没接。

我嘴角不由自主地浮起浅浅的微笑，却又很快因为这不可告人的小肚鸡肠而看轻自己。她应该幸福不是吗？只要她幸福，怎么样都好。

十一月秋的夜晚，寒风阵阵，星空寂寥。我跑出办公大楼，转身来到大操场就看到于池子。她单肩背着彩色大书包，手紧紧地抓着包带，站在月光下一动不动。我走近她，看到她脸上的泪痕犹在。

“回宿舍吧。”我说。

她忽然就神经质地笑起来，抡起书包一边砸我一边笑着说：“我都为你变成泼妇了，说，你怎么报答我？”

我闪开，她继续追打。

操场上还有三三两两经过的人，怕成为更大的目标，我只好站定了，挺起胸脯来任她发泄。她的动作却慢慢轻下去缓下去，而且要命的是，她好像哭了。

“别闹行不？”我推她一下。

她抱着书包蹲下去，真的哭起来。

看来这个世界确实不够乱。因为就在这时，我看到了那辆路虎，它像一只愤怒的狮子，一直冲到了学校的操场上。一个男人从车上跳下来，径直往我身后的教学楼跑了过去。我们学校里白天都很少让外面的车子开进来，真不知道深更半夜这家伙是怎么做到的。夜色有些深，我有些近视，而他速度飞快，所以就算他经过我身边，我也没能看清那张脸。

“没事了。”于池子蹲在地上自顾自地解释，“失去网友有些伤心而已啦。”

不管是真是假，我都没心思安慰她，因为我决定返回办公楼看一看。毫无疑问，那怒气冲冲的男人是冲着她去的，虽然我不会打架，但谁敢动她，我就把他头盖骨掀掉。

不信等着瞧！

_06

事实证明，“英雄救美”这一类唯美而又劲爆的剧情，永远都只会在虚拟的世界里发生。真实的情况是，那天晚上，当我把自己搞得像一只豪情满怀的飞镖直射到办公楼前的时候，她办公室的灯已经诡异地熄灭了，四周静得像一片深不可测的海洋。

他去了哪里？他们在干什么？！！

我站在原地，愣了几秒钟，忽见她办公室的门开了，然后，他们走了出来。

他搂着她，搂得很紧。他们见了我，停下了脚步。她好像微微挣扎了一下，但他显然不许她离开，她就微笑着顺从了。离着很近的距离，我才发现那个男的是如此的高大威猛，而藏在他腋下的她则显得那样的微小，且微小得如此的心甘情愿。

“段柏文，你还有什么事吗？”她问。

我顾不上回答她的问题，只是身不由己地盯着那个居高临下的男人。四周的光线真的太暗，虽然他也在微笑，但他眼眸里射出的精锐的光却让我感到莫名的颤栗。其实满打满算，我只是和他对视了一秒，而恰恰就是这一秒，就让我在这场“气场大战”中输得片甲不留。

“老师，他把手机丢教室了。”救我的人，依然是于池子。然而此时此刻，我对她这个拙劣的谎言充满的感激之情简直难以用言语来表达。

“那快去拿吧，抓紧时间，宿舍快熄灯了。”说完这一句，她就低下头，和他一起经过我，大步朝着操场的方向走去了。我实在是没勇气多看一眼那两个能把我刺激到疯的背影，只能低着头看着自己那双脏球鞋的鞋尖，思考着该如何把自己一脚给踹到爪哇国，从此眼不见心不烦。

直到于池子走到我身边，用装作若无其事的口气对我说：“老段，回去啦！”

“他很帅吗？”我问。

“如果是和你比，那是一定的。”于池子用极度同情的口吻对我说道，“瞧你，酸得全身都渗水了，赶紧回去洗洗睡吧，天不早啦。”

“欠你一次。”我对她说。

她嘻嘻笑。

我转身往宿舍方向走去，于池子跟上来，在我身后大声说：“喂，不要这么自私吧。”

“又怎么了？”我问。

她朝前努努嘴，拖长了声音夸张地说道：“前面的路灯坏啦，回女生宿舍那条路很黑的，作为一个堂堂的男子汉，难道你不打算护送我一程？”

我无奈地跟她做了一个“您走前面”的手势，她拉拉她的花书包，像个女王一样得意洋洋地走到我前面去。我只能放慢速度摆出一个保镖的驾势来配合她。但没走多远她脚步就放慢，慢慢地变成差不多与我并肩而行。我俩的样子，像极了天中无数对“地下情侣”，要是被人撞见，真是把黄河长江乌苏里江雅鲁藏布江以及天下我所有知道的江河全跳一遍都洗不清。

不过我无所谓，相信她也是。这也是为什么我和她交往一点压力都没有的原因。

“告诉你一个秘密哦。”她的开场白永远一模一样，唯一不同的是这一次她没有卖关子，“有一天，九班的斯嘉丽问你是不是我男朋友。我跟她讲是的。”

“哦。”我说，“是就是吧。”

“斯嘉丽喜欢你。”于池子说，“她把你发表过的作文里的那些精彩的句子抄在小本子上，天天背哦。还有，她每天在我面前至少提你十次。但她太喜欢吹牛了，说什么家里有多少钱，她爸一年去几趟美国，她什么什么姐姐是什么什么公司的签约模特儿，还和Rain在一起吃过晚饭唱过歌什么的。我不喜欢她，所以才刺激她，你不介意吧？”

“不啊。”我心不在焉地说。

“段柏文。”她叉着腰跳到我面前，拦在我面前说，“你能不能把你的心收回来，你想的那些都是不现实的，知道不？”

“你怎么知道不现实？”我反问她。

“她不会喜欢你的。”于池子干脆地说，“你的道行永远都无法入她的法眼。”

“你刺激我没用的。”我说，“我又不是斯嘉丽。”

“可是你脸都发青了。”于池子不甘示弱地盯着我说，“其实你也知道是不可能的，你只是享受这个过程，对吗？”

“再见。”我看着不远处的女生宿舍的大门对她说。

她做了一个扇我耳光的手势，然后转身跑开了。我没走出两步远，又听到她扯着嗓子大喊我的名字：“段柏文！”她的声音太大了，类似于尖叫，我吓得猛一回头，发现她把两只手掌拢在嘴边，喊出了一句更惊天动地的话，“其实你也很帅的，要自信哦。”

喊完，她笑着跑进楼里去了。

好几个经过的女生都停下了脚步，盯着我好奇地看。我装作很镇定的样子跟她们打招呼：“Hi！”

她们爆发出一阵大笑，互相拉扯着跑掉了。没跑几步，其中的一个又折回来，拉住我大声问我：“帅哥，几年几班的，留个电话？”

“123456789。”我说。

女生掏出一支圆珠笔，一边往我手里塞一边说：“来，名字签到我胳膊上。”

我眼珠子都快掉出来了，完全想不到号称最优质女生的天中女生竟是如此生猛。

盛情难却，我只得在那只浑圆的胳膊上签上我的英文名：“Rain。”然后潇洒离去。

回到宿舍的时候，宿舍已经熄灯了。我摸黑上了床，掏出手机，找到她的电话号码，思忖着给她发条短信。我编辑了差不多有半小时，发出去的最终稿是这样的：“李老师，今晚给您添麻烦了，万分抱歉。您的学生：段柏文。”

我想只有我自己知道，这每一个看似公文的呆板的字中饱含的深情厚意。

她当然没有回我。

我不敢去想象此时此刻的她正在做什么。因为每一种想象都注定了和我无关，所以也就注定了会把我的心牵扯得生疼生疼。所以我只能闭上眼睛，尽力去回想她的样子，直到我累得再也想不动了，终于控制不住地沉沉睡去。

_07

那天夜里我做了生平最无厘头的一个梦。

我梦到了我爸爸。他在头上包了一块很大的白毛巾，在一片金黄金黄的麦田里开着一辆巨大的推土机，嘴里还深情地哼着一首红歌："夜半三更哟盼天明，寒冬腊月哟盼春风，若要盼得哟红军来，岭上开遍哟映山红。"虽然是在梦中，我也敢确认，那真的是推土机而不是拖拉机，好好的金黄金黄的粮食都被那辆巨型土拨鼠机耕得毁于一旦。

在这场华丽而又搞笑的场景里当然有她，她穿了一件我妈妈曾经穿过的花裙子，白底蓝花，站在麦田的边上轻轻唱和。远看像个青花瓷茶壶。阳光照着她的脸蛋，微红迷人。微风吹起她的裙摆，让人陶醉。我奋力想向他们跑去，却像所有令人抓狂的梦一样——死也迈不开步子。

然后，我无可抗拒地醒来。

醒来后的第一件事是伸手去掏枕头下面的手机，发现它没电自动关机了。我坐在床边睡眼惺忪又满怀遗憾地将那个梦反复回味了好几次，这才爬起身来准备去上课。谁知道刚走到男生楼的门厅里，半路忽然杀出个程咬金，他穿了一套武松打虎穿都嫌土的运动服，像一个巨大的灰馒头一样从楼梯上飞了下来，然后一只手撑在我前方的墙上，另一只手潇洒地拦住了我的去路。

我完全没认出他是谁，直到他深情款款地对我说道："米粒儿，我觉得我们有必要谈一谈。"

哦，原来是横刀先生。

我一把拂开他的手，指着他的鼻尖恶狠狠地警告他："你在我面前再喊那破名字，我就把你掀翻了，你信不信？"

他一副对我了如指掌的样子，用深沉的嗓音开始背诵他替我写的个人简介："段柏文。写作天才，多次获得作文比赛大奖，表面不爱说话内心波澜壮阔，典型的闷骚、幽默型选手。我说得对吗？"

"对你妈那个头！"我朝他挥挥拳头，对付这种矬人，真是想不粗鲁也不行。

他瞪我一眼，一副对我的言行举止吃惊到爆的表情。

我撇下他往前走，他跟到我后面，振振有辞地告诫我："大才子，我告诉你，哪怕是在网上，你也要负责任，欺骗别人的感情，也是要算精神损失的。"

我想过了，如果现在于池子出现在我面前，我就把她的头给拧下来。

不知道是不是上天听到了我内心的呼唤，就在我这么想着的时候，于池子真的就忽然冒了出来。她手里拎着一个塑料袋，嘴里对我喊着：“烧麦，烧麦！”

我伸出两根手指，接过那袋烧麦，然后转身，用极为优雅的姿势把那袋烧麦递给了我身后一脸疑惑的横刀先生，并对他说：“好好品尝一下，这可是米粒儿做的烧麦。”

那一瞬间，于池子的脸变得煞白，而横刀先生，自从看到于池子，眼神就像是被什么东西粘住了一样，死死地固定在她的脸上，呆滞而又惊艳。

于是我知道：故事发生了，我可以潇洒出局了。

再说，我哪里有空管他们。此时此刻，我一颗心已经飞到了教室里，第一堂课是她的语文课，我想见到她的那颗心早已经按捺不住，恨不得长了翅膀飞出胸膛高唱哈里路亚。

可惜，她还没来。

看来昨晚——哦，我又管不住自己想那些不该想的了。

早读课总算是熬过去了，谁知道压着第一堂课上课铃声走进教室的竟然不是她，而是数学老师那个老头。这对我简直就是晴天霹雳！而且最可恶的是，他居然一句解释都没有！趁他转身在黑板上写题目，我赶紧问前排的魏征为什么会调课，魏征只是推推眼镜摇摇头，一副比我还要茫然的样子。

我再转头看于池子，她在低头记笔记，看都不看我一眼，当我不存在。

更悲惨的事情接着发生了，第二堂课依然不见她的影子，还是数学课！我正恨不得一巴掌把数学老头从讲台上拍飞下去的时候，于池子给我推过来一张纸条，上面写着一句话：“你继续帮我应付横刀，我替你打探她的行踪。”

我把纸条揉成一团扔到地上，还用运动鞋用力在上面踱了踱，再一脚把它踢得远远的。于池子好像对我这种不礼貌的行为早有准备，她只是不屑地笑了笑，然后就装作专心听讲的样子不理我了。

我当然听不进去课。

我在想，如果她到下午都不出现，又或者，如果她到明天都不出现，再或者，如果她永远都不会再出现。我的天，我该怎么办才好？对于一直被很多人盛赞想象力卓越而又超群的我而言，这简直是我有生以来最为痛苦和折磨的一次想象了。

不知道于池子是得罪了哪路神仙，就是逃不过挨揍的命运。那天中午，我正在教室里徘徊着要不要打个电话了解一下她的行踪，隔壁班的女生斯嘉丽就冲进来对我喊道：“段柏文，不得了啦，于池子在教学楼前跟人干架了！”

什么情况？难道是那个横刀求爱不成恶向胆边生？！

我跳起来就往教室外面跑，跑出去就看见教学楼前的围墙边凑了一大堆人。几个女生像栅栏似的圈住于池子，于池子还算机灵，伸出左胳膊挡住脸，脸上的表情有点打死事小、破相事大的牺牲精神，但身体却一动也不敢动。她以一挡五，明显处于劣势。我犹豫了一下，心想女人之间的战争与我何干，还是多一事不如少一事的好。再说了，光天化日之下，她们敢有什么过激行为呢，让于池子这个惹事精受点教训，未必是坏事。

可就在我决定抽腿要走的时候，形势突变，站在于池子左边的一个女生拉开于池子的胳膊，旁边那个女生趁势抡上去就是一大巴掌。那掌声清脆悦耳，无疑是天中正响起的上课铃声中最响亮的一个音符。此二人配合得天衣无缝，鬼斧神工。于池子短短二十四小时连续被女人扁，显然没有回过神来。我还没来得及反应已经有人冲了进去，一把抓住了那个打人的女生的头发，尖叫着骂道："你给我去死！"

那个彪悍的女人不是别人，正是斯嘉丽。

几个女生都发出了嗡嗡的尖叫，顷刻间在地上扭成了一团。

我最听不得女人尖叫，头皮发麻，又不能坐视不理，情急之中喊了一句："保卫科！"没料想无人当真，旁边一个眼镜男还冷嘲热讽地说："要不你喊警察来试试呢？"要不是眼看于池子被人揪住头发不能动弹且表情痛苦，我真想揍他一拳泄愤。但而今眼下，救人第一，我可不想于池子有点啥闪失，她妈妈对着我哭哭啼啼。我不得已冲上前，好不容易在一群纷乱的辫子和扭曲的身体中辨认出于小姐的身影，勉强揪住她后脑勺下面的衣领，死命将她拽出了人堆。

谁知道我刚从那些疯女人的魔爪下把她解救出来，还没来得及完全把她拎到安全地带，她就抱住我呜呜大哭起来。光天化日之下啊，成何体统！

但出于安慰的心理，我没有推开她，而是警惕地向四周打量。那一刻我的心里只有一个念头，那就是千万千万不要被小耳朵老师看到。如果这一次又像上一次那样，那我真是要把黄河长江乌苏里江雅鲁藏布江以及天下所有我知道的江河全跳一遍了，管它有用没有用!

正在我胡思乱想之际，保卫科大叔已经像一颗秤砣一样稳稳地立在我身边，我们四目交会之际，他冲口而出："几班的？"

我四下望去，在场的除了我、斯嘉丽以及于池子以外，其他人早就跑了。

在天中，如果被教务处领导有请，通常的黑话是说："教务处请喝茶。"基本上，天中的学生里，能被教务处请上喝茶的，都能被大部分学生钦佩和敬而远之。可是真的有了这个机会，我才发现，根本没有这么好的待遇。

别说茶，连椅子都没得坐。

"知道打群架的严重后果吗？"教务处魁梧的女老师姓何，人送外号"河马阿姨"，是个不能惹的大人物。她先是把一本红颜色的学生手册重重地摔在桌子上，发出威严的响声。继而迅速移动到我们身边。当时我和斯嘉丽、于池子三人并列排成一条线，她先从于池子的眼睛开始扫视，直到我这里打住。

"说，到底什么情况？"

我脖子一挺，实话实说："不知道。"

"哦，不知道是吧，不知道就写检查，写着写着你就知道了！"

我心想：检查你个头。但嘴上没出声。算了，我一般不和女老师起冲突。

于池子中计，红着眼辩白说："老师，跟他没关系啊，他是过来帮忙的！”

“帮忙？”河马阿姨狡猾地问，“帮什么忙，帮忙打架？”

斯嘉丽抢着回答：“不是啊，老师！段柏文是见义勇为！我们是受害者，高二那几个女生欺负人，说于池子抢了她的……”说到这里，她忽然停住了，紧张地捂住了嘴。

“抢了什么，继续说下去。”河马阿姨明知故问，就等着我们出丑。

“午餐。”于池子机灵地说，“买午餐的时候，她们嫌我抢位。”

河马阿姨没抓住把柄，开始大叫起来：“一堆女生在大操场上打群架，这在天中还是闻所未闻的事情。按照我们学校的规矩，出现在这种严重违反校规校纪场合的人员是一律要严肃处理的。回去等通知吧。现在我让你们的班主任把你们领回去——”

要知道，最后这句话才是令我五雷轰顶同时又欣喜若狂的，而河马阿姨已经在拨电话了——好吧好吧，不管怎么说，总算有人替我找她，任何事情都是双面性的，这话一点也没错。

我看了看于池子，脸色苍白的她正在努力地张大嘴对我做着嘴型：“怎么办？”

怎么办？只要知道她在哪里，把我“凉拌”或“热拌”都统统没有关系。

我愿意哦我愿意。

趁河马阿姨打电话的时候，我不小心扫了一眼斯嘉丽，发现她也在看我。毫无疑问，她长了一张美女的脸，可是我对这类美女一向不感冒，更何况她眼睛里射出的某种光芒，让我觉得浑身像长了刺般的难受。我移开视线，脑海里迅速升起一个成语：敬而远之。

_08

那天，斯嘉丽很快被她的班主任领走了。留下我和于池子，在河马阿姨的办公室呆站了差不多有半节课，她一直都没有出现。中途河马阿姨好像一直都在打她的电话，不知道是没通还是没人接。最终，河马阿姨无奈地对我们挥挥手说："先回教室去上课吧！"

啊！她到底去了哪里？！

"对不起啊，连累你。"从教务处出来，于池子跟在我后面假惺惺地道歉。

"别假惺惺的了。"我说，"也不看看自己身板，要当太妹也要有条件的，知道不？"

她嘻嘻笑道："就是啊，你说高二那个肥婆是不是脑子进水了呀，就她男朋友那个条件，值得本姑娘去抢吗？我要抢也抢你这样的帅哥对不对嘛。"

"别拍我马屁，没用！"

“别告诉我妈。”于池子说，“我给你一百块。”

我朝她伸出手，她嘿嘿笑着说：“先记账上。”

算了算了，看在她曾经多次接济我的份上，这一次我算她免费好啦。再说，我也不是那种多嘴多舌的八卦男生，动不动就把知道的事情统统传出去。损人不利己，毫无意义。哪知道于池子又出奇招，拉住我的胳膊说：“这样吧，我给你一千块。”

“干吗？”天降横财，我吓一大跳。

“扮我男朋友一个月。”她放开我，朝我伸出五根手指头，“还可以附赠五次作业。”

“怎么扮？”我说，“难不成给我一张韩庚的面具？”

她哈哈大笑道：“就是制造点小绯闻啥的，我不是怕那个肥婆再来烦我嘛。”

“你早上脑子被打坏了？”我问她。

她不答我，眼睛却又忽闪忽闪的，像是要掉下泪来。我最怕她这一套，赶紧转移话题：“你说小耳朵老师知道这件事会不会生气呢？”

“我，才，生，气，了！”她莫名其妙地朝我扔出这五个硬邦邦的字以后，撇下我，飞快地跑进了教室。

晚餐时间又看到斯嘉丽，她居然换了一条裙子，和白天那一条完全不一样。如果要我形容一个把几条裙子揣在书包里来上学的女生，很遗憾，我只能想到“变态”这两个字。她站在食堂的门口等于池子，两人见面时居然还轻轻拥抱了一下。如果我的记忆没有出错的话，好像就是在昨天，于池子才告诉我她不喜欢斯嘉丽。看来女人是这个世界上最善变的动物，此话真是一点儿都不假。

只是不知道我心中的那个她变来变去，会不会有一天会喜欢像我这样的男生？

有个很潮的词叫啥来着，姐弟恋？

思念是一种病，而我无药可救。

天中的食堂很大，我胡乱打了点饭菜，挑了一个人相对少的地方坐下，食不知味，只为对付一下其实早就咕咕叫的肚子。饭吃到一半的时候，斯嘉丽端着盘子坐到我身边来，轻声问我："可以聊几句吗？"

我含糊地"唔"了一声。

"于池子饭都吃不下，走了。你误会她了，她一点儿也不喜欢那个横刀，她喜欢的人就是你。你这样对她，她真的难过死了。"

"你说什么？"我问她，"我怎么对她了？"

她张大嘴，惊讶了半天后说："难道你听不明白我在说什么？"

我摇摇头。

"你果然狠心。"斯嘉丽端着盘子站起身来，经过我身边的时候，她低下声音说，"我们今晚有报复行动，参不参加随便你。"说完，她迈着袅袅的步子走远了。

报复？！我看她们真是疯了。

在食堂管理阿姨痛心疾首的目光下，我把只吃了一半的饭菜倒掉，走出去，经过大操场，拐到办公楼。在她办公室的门口，忍不住又再一次放慢了脚步。我该死的想象力又在作怪了，真希望此时此刻，她能捧着讲义和一大堆作业本从里面忽然走出来，微笑着对我说："帮我拿一下好吗？"

可是，没有她。出现在我面前的人是阴魂不散的于池子。

"斯嘉丽跟你说什么？"她靠着墙问我。

"你离她远点。"我警告于池子。

"为什么？"她说，"有人对我好，你很不舒服是吗？"

"随便你怎么讲。"我说，"但你记住，你要是敢跟着她去做那些乱七八糟的事情，我马上就打电话给你妈。"

"你凭什么呢？"她直着脖子问我。

"你说呢？"我反问她。

"斯嘉丽说得对，就是因为我对你太好了，所以，你才会肆无忌惮地伤害我的骄傲、我的自尊。但是，段柏文，我告诉你，你不要太自以为是了，我不是你想象中那样的，不是的！"

朝我喊完这几句，她转身扭头跑掉了。

我真想骂娘。

那天，小耳朵老师一直没出现。关于她没来天中上课的原因，先后出现了三个版本。

第一个版本是：她病了，发高烧。

第二个版本是：学校派她去省里参加一个青年教师培训班去了。

第三个版本是：她去北京结婚了。

按我冷静下来后的思考，这三个版本都不成立，我昨晚才见过她，她好好的，不可能生病。而学校要送她去培训，她不可能之前不跟我们交待一声。要是说到结婚，就更不可能了，像她这样的极品女人，怎么可能把人生的这种头等大事搞得像到菜场买根葱那么简单？

不记得是在哪本哲学书上看过一句话，当某件事情被暴之无数个真相的时候，那个真正的真相往往潜伏在最深处。所以，我宁愿相信她只是有某件急事要去处理，所以才会耽误了今天的课程，明天只要连上两堂语文课，这一切就像没有发生，人生依然风平浪静，完美继续。

想到这个，我浮躁了差不多一整天的心终于渐渐地安宁下来。

体育课上请人喝了几瓶水，才发现身上现金告急，我跑到自动取款机去取钱，上面的余额是0.88元。看来我爹完全忘了要给我打款这件事。我给他打电话，竟然还是关机。实在不行，又只能开口跟于池子借点钱渡过难关了。

只是没想到，玩失踪也会成为一种传染病。那晚一直到晚自习上了一大半，于池子都没有出现。说实话，我还是有点担心她的，因为我猜不出斯嘉丽口中的报复行动到底是什么，以于池子有限的智商而言，在这类游戏中沦为别人的棋子实在是一件太可能的事。

我掏出手机来拨她的号，她没接。

我又给她发了一条短信：有事，速回电。她也没理我。

下课的时候经过九班教室，我发现斯嘉丽抱着几本书站在她们教室门口。直觉告诉我她是在等我，我装作漫不经心地经过她身边的时候，她果然对我说话了："想知道于池子在哪里，跟我来。"

说完，她抱着书往前走去。

我想了想，决定跟在她后面去看个究竟。

也许是怕我跟不上，她走得很慢。我们七拐八拐，来到了小操场的假山后面。这里是学校最偏的一个地方，据说由于被爆常有情侣在此约会，校方已经加强了夜间对这里的视查。听说也就是在上周，我们的副校长大人就化身便衣警察，在这里抓了不少现行。我开始有些怀疑——于池子如果不是疯了，肯定不会在此时此刻跑这里来撞枪口。

斯嘉丽走在我的前面，在幽暗的小径上缓缓而行，透着一股阴冷，像极了一个女鬼。

我心里升起一种将被暗算的不良感，于是我大声喊她："喂！"

更可气的是，她好像知道我在想什么，转过头对着我嫣然一笑说："你是不是害怕了呀？"

我干脆停下来不走了。

她转身走回到我身边，嗲声嗲气地也不知道是夸我还是损我："我一直以为，在你的字典里，没有'怕'这个字呢。"

"怎么没有？"我说，"三十八页。不信你再翻翻。"

"你在骂我？"她微笑着说，"别以为我不知道，你在骂我三八。"

被她识破，我只好耍赖说："我以为你的字典里没有'聪明'这个词呢。"

"怎么没有？"她反唇相讥，"二百五十页呢，不信你翻翻。"

得，我可没兴趣深更半夜跟一个女生在一个如此暧昧的地方斗无聊的嘴皮子。二十一世纪，只要是个人都有个把绯闻。按说我也不是个小气的男生，可是若是跟斯嘉丽传上什么不必要的绯闻，我不用想就觉得像衣服里被人塞进几只蚂蚁一样全身不自在。

“好吧。”我弯腰说，“二百五就此别过。”说完，我准备离开，直觉告诉我危险无处不在，自身难保的我，哪里还管得了什么于池子不于池子。

遗憾的是我的直觉准确率总是高达百分之九十九。说时迟那时快，只见斯嘉丽把手中的书利落地扔在了地上，紧接着，她忽然张开了双臂，像一个小飞机一样，稳稳地“降落”在我身上——与其说是牢牢地抱住我，不如说是用她的双臂死死地钳住我。

我就像被一个巨大的滚烫的饺子给“啪”的一声贴上了，大脑瞬间空白，只觉得全身着火一般又麻又辣。

“不许叫，不许动，听我把话说完。”

毫无疑问，这是一次有组织有预谋的挟持。所以她能够吐字清晰，纹丝不乱，像一个豁出去的女流氓。

“你放开我再——”我话音未落，她就抬起头。这是一双什么样的眼睛啊，在凝视我的一瞬间，两颗硕大的泪珠就像早就预备好的弹珠一样，从泪腺中弹出，齐刷刷地落下，简直堪称世界奇观。

靠，遇到演技比董佳蕾还强的了，我只能点点头，听凭她发落。

“第一，我喜欢你。”她吸着鼻子，把她的双手从我的腰上缓缓挪到脖子上，搂住了我。

“第二，我非常非常非常地喜欢你。”她把头靠在我胸前，伸出手在我脸上抹了一把，吸了吸鼻子继续说，“你知道吗？我只为你而活，为你一个人而活。所以，如果你今天敢拒绝我，后果非常的严重！”

我承认，我被这番爱的表白彻底搞傻了，还来不及问她后果到底有多严重，更精彩的戏码就上演了，只见她手伸到身后的裙腰那里，倏忽拔出一把刀。这把刀像是早就在那里了，可是为什么我刚才一直走在她身后却没有发觉呢？

求生的本能让我立刻把她从我的怀里丢了出去，并且很丢脸地尖叫了一声。

远远的路灯很配合地熄灭了，我们隔着半米远的距离，一个头发散乱的穿着校服背着书包的女疯子，手里拿着一把刀，泪眼婆娑地望着我，这一切，真是有够搞。

其实我早就认识斯嘉丽，只是不知道她自己记得不记得。早在幼儿园的时候，我们就同班。在那个班上，斯嘉丽气质超群，总是拖着两条哀怨的长辫子，低着头，默默地，走路不发出任何声音，很有做女鬼的潜质。

但那时候她虽然文静，却有些不正常的癖好。最显著的是，她喜欢吐口水。

她的桌子、凳子，她用的碗、杯子，总之无论什么，只要属于她的东西，她都要吐一口口水上去，以示区别。正因为她的诡异，所以我对她印象极为深刻。

印象深刻还有另外一个原因，有一天她因为把口水吐在几个男生的脸上，差点被他们挤到男厕所的厕所池里，而我因为尿急，把她从里面拖了出来。她狠狠地瞪我一眼，骂了我一声“狗屎”，然后飞快地跑掉。

时光是机器，把所有的记忆都压碎、清理，就算偶尔拾起，也只是支离破碎的片断，不值一提。只有眼前的一切，才是最真实的。

可惜我眼前这个斯嘉丽比童年时的她还有过之而无不及，对我这个“狗屎”男生也感了兴趣。我真怕我把她惹急了，她一口口水喷射到我脸上，那我就真的完蛋了。

“玩过了吧。”我真是被气坏了，哑着嗓子吼她，“你他妈到底是要劫财还是要劫色？你直说啊！”

“劫色。”她温柔而小声地答我。

在我还没有晕过去之前，她又口齿清楚地对我说道：“于池子此时在我几个朋友手里，你要是乖，她啥事都没有。反之，我什么都保证不了。”

说完，她再次靠近我，一下子倒在我怀里。

她一只手握着刀，另一只手使劲勾着我的脖子，刀尖在我的胸前来回比划。

这个场景雷同于一些电影里的变态杀人事件，但却比那刺激多了。因为此刻命悬一线的是我，斯嘉丽完全占了上风。她什么话也不说了，四周变得安静，只有我的心跳声是最好的伴奏。这时，有一阵风吹来，我立刻闻到她全身散发出的一种异香，不知道什么香水会散发这种魅惑的味道。

“就吻我一下。”她闭起眼睛，对我说。

我承认，月光下的斯嘉丽长得不算难看，实际上，她确实比于池子好看多了。可是对她逼吻的变态行为，我要是屈从，不如拿那把刀毁我的容算了。

于是我当机立断，一把放开她。她猛地跌坐在地上，抬起头来问我：“你真的不关心她的死活吗？”

“不关我的事，你们爱干吗干吗。”说完这一句，我转身，以最快的速度离开了这个是非之地。当我转弯，远处隐约传来吓人的尖叫声，可是为什么那声音竟像是于池子的？

不过我没有回头。

我没撒谎，所有和她无关的事情，此时都不关我的事。

我只要知道小耳朵老师在哪里，她好不好，她都在做些什么。我整颗心全都被她装满了。除去她，所有一切皆无意义。

_09

那天晚上，我一直在听一首歌——《狂野的世界》。

> 现在我终于失去了你和你的一切，你说你想要开始新的生活，你的离开刺痛了我的心。宝贝，我是这样的悲伤……

这歌声无疑让我更加想念她，因为太想念，反而让她的面目都有些模糊。

虽然不愿意她就此消失，但我也从未有过任何奢望。对我来说，她是一幅挂在墙上的油画，油漆未干，美得不可亵渎。

只是感到我似乎离那幅画的距离越来越远，连仰头看清她容貌的机会都没有了，我才会这么怅然吧。

我忽然很想喝点酒，或者起身写一首长诗。幸亏斯疯子之流带给我的惊吓让我的身体疲惫至极，实在没力气去做那些疯狂和愚蠢的事，我才得以慢慢进入梦乡。

第二天一大早，看到于池子的第一眼，我就明白她昨天“失踪”是去理发店了。她把刘海剪短了，露出光光的额头，看上去脸长了不少，下巴也骤然变尖了，只是脸色惨白，好像刚被人吓过。

“Hello，美女。”见她没事，我总还是高兴的。

谁知道她视我如透明人，三下两下收拾好她的东西，从我身边径直绕过，一直坐到了教室的最后一排。没过一会儿，把丁胖胖给换了过来。

大舌头丁胖胖把她的脏书包像炸弹一样扔到桌上，口齿不清地对我宣布说：“段同学，从今天起我们是同桌。”

“可以随便换的吗？”我问她。

“可以啊。”丁胖胖说，“小耳朵老师说可以自愿的。”

好吧，我输了。谁都别跟我提那三个字——在我没有看到她之前。今天她的课是第三节，我真希望有把特殊的“横刀”，可以把前面两节课齐刷刷砍去，直入主题，那才够酣畅淋漓。

下课的时候，我跑到最后一排，于池子把头埋在书里，像是在吃书里的字。我喊她，她抬头，茫然地看着我说：“干吗？”

“换回去！”我命令她。

“凭啥？”她又来了。

“丁胖胖上课老抖腿，我老以为地震了，心脏受不了。”

“关我什么事。”她说。

女生小肚鸡肠起来，真是不可理喻。我气不打一处来地走出教室，来到她的办公室门口，探头望了望，她不在里面。她的办公桌打理得很干净，应该是从前天晚上离开后，就再也没有回来过。

第三堂语文课。眼看着英语老师走进教室的时候，我一心期盼她发现自己走错了教室。可是直到她擦好黑板，写好“Lesson Eight”的标题，并且打开书本宣布：“这节课调成英语，大家清楚？”我才相信悲剧仍在继续中。

然而大家都处在默然中，无人体会我的错愕心情。

我愤慨地自言自语：“难道班长不知道调课应该提前通知一声吗？！”

丁胖胖凑过来说：“你想她啦？”

我机警地瞪了她一眼。她却回报我粲然一笑。哎哟我的妈，胖女露笑容，彗星撞地球。我早就该料到于池子那张不上保险带的嘴，会替我把此事宣扬得人尽皆知。看着英语老师读单词时那张被鲜艳的桃红色唇膏渲染得十分醒目的嘴巴，我感觉我屁股上像把火在烧，怎么坐都坐不住。幸亏有个丁胖胖在我身边不停地抖腿，才稍稍可以掩盖一下我的不安心跳。

中午的时候，我做出一个决定——逃学。

理由有两个，第一，回家跟我爸要点钱；第二，我必须要出去走走，不然我就要烧爆炸了。

我好不容易才在书包里找到一枚硬币坐公交车回家，用钥匙打开门以后，我看到客厅里站着三个人，一个是董佳蕾，另外两个年纪都挺大，头发花白，笑容慈祥。但我不认识，从来没见过。他们正对着我家的天花板指指戳戳，好像是在说什么层高不够，感觉有些压抑什么的。

“叔叔阿姨，这样子，你们先回去，有什么事我们再电话联络。”看到我进门，董佳蕾有点慌，急着把那两个人往外推。

“你儿子都这么大了啊。”那个老妇女经过我身边的时候，好奇地看了我一眼，大声说道，“其实我们买房子，就是想儿子结婚后把我们原来的房子让给他，我们搬出来住，跟小孩子住在一起，不习惯的……”

“好的，好的，电话联络，电话联络。”董佳蕾不等人家把话讲完，就急匆匆地把门给关上了。

“我爸呢？”我问她。

“你问我，我还问你呢。”她眼光闪烁，不敢看我，一看就是做了亏心事。

“那两个人是谁。”我问，“来我家干什么？”

“不知道。”她真干脆。

我推开他们房间看了看，我爸真的不在里面。我站在客厅里打电话，董佳蕾抱臂坐到沙发上，冷冷地对我说道：“打不通的，你要真想知道他在哪里，为什么不去问问你小女朋友的妈咪，不过我也好心提醒一下，他们正风流快活，未必有空理你。”

她又来了！

“我要卖房子！”她忽然风度尽失，从沙发上跳起来，红着眼睛对我喊，“你听好了，我要卖掉这里。所以以后，你永远都不要再回来，有什么事，找你爸去，不要找我！”

“这是我家的房子。”我可不糊涂。

“你爸在跟我结婚以前，就已经把房子转到我名下了。”董佳蕾说，“不然，你以为我会嫁给他那个糟老头？！他有什么，他算什么！他把我董佳蕾当什么！”

在她失控的尖叫声里，我只觉得天旋地转。

时光忽然回到多年前，我还是个小孩子，穿汗衫短裤、卡通凉鞋，背画着一群快活蓝精灵的书包。我妈妈牵着我的手带我来到这里，她把我房间的门推开，对我说：“柏文，喜欢这个新家吗，不过从今天晚上起，你要一个人睡觉了哦。”

当时我只顾着舔手中快要融化的火炬冰淇淋，没回答她。

那些快乐幸福的时光，怎么在我拥有的时候，我竟一点儿也不在意呢？

我摇晃着上前一步，指着董佳蕾的脸，大声说道：“你也给我听好了，这是我的房子，我妈的房子。你要是敢动它，我就把你敲扁！不信你就试试！”

“我等着！”董佳蕾毫不示弱地与我对视。

我摔了门，跑下楼，坐在小区的花台边喘着气打于池子妈妈的电话。于池子妈妈是我爸的战友，为人爽快热情。我妈在的时候，她们常在一起喝茶聊天，讨论美容心得。我妈走后，我爸有啥烂摊子，都是她出面替他收拾。但我深信，她和我爸之间是干净透明的，绝不像董佳蕾那种心灵黑暗的人形容得那么不堪。

电话很快就通了，她迟疑了一下才对我说：“我也不知道他在哪里，或许出差了吧。”

“我找他有急事，很急的事。”我说。

“那我帮你找找看。”于池子妈妈说，“你在学校好好的，找到我告诉你。”

我听出来了，她在撒谎。

很明显，他们几个人之间有一个共同的秘密，而我被堂而皇之地排除在这个秘密之外。

其实我可以不在乎这个秘密，但我不能不在乎他如此地不在乎我。他是我的父亲，我还没满十八岁，就算他不关心我的成绩，也不能不关心我晚餐应该吃啥。直到现在，我才可悲地发现我真的还只是一个孩子，一棵失去依靠的无根的小草。

我不想回学校，但我也不知道应该去哪里。我在大街上漫无目的地走着。也不知道走了多久，竟来到了那天和她聊天的小河边。或许是为了照应此情此景，老天竟然又知趣地下起雨来。我如同被谁牵引，不由自主来到她坐过的长椅边坐下。很可惜我穿的是校服，不然我可以学她把领子拉起来或用什么东西遮挡，暂时拒绝整个世界。所以我只能脱掉鞋，把我走得酸涨的两条腿盘起来，并用手圈住它们。

我觉得冷，唯有回忆让我温暖。

在我快要睡着的时候，有人伸手拍了拍我的肩，轻声问我：“是你吗？”

我如被电击般地转头，看到她。她穿了一套简单的运动服，打了一把红色的小伞，正弯下腰询问地看着我。

我真怀疑我是不是进入梦乡了。

“果然是你。”她微笑了一下，选择在我的身边坐下，那把红色的伞同时轻巧地罩住了我俩。

我责备自己，为什么不早点睡着呢。如此美好的一幕，我期盼了不知道有多久，现在居然美梦成真了！我大气都不敢出，其实我也很不希望她说话，如果这样的话，梦是不是就永远都不会醒？

但她还是打破了梦境：“你为什么不去上学，而跑来这里？”

“那你为什么不去上班，而跑来这里？”我一边反问，一边勇敢地转头看她。她的侧面真是好看死了，我敢说世上再也没有一张侧脸可以如此清新动人——如果蒙娜丽莎有侧脸的话，最多也不过如此了。其实我以为她会责备我，谁知道她只是这样轻言细语地问我一句，不然，我哪里敢放纵自己和她如此顶嘴。

“我请了三天假。”她说，“来做一个决定。”

“那，你决定了吗？”

她摇摇头，转头看我说：“这是一个重要的决定，可不能马虎。更何况我的计划还被你打乱了呢。”

“为什么？”我吃惊地问。

“因为你坐了我用于思考的位子啊。”没容我再说话，她又抢先一步问我，“对了，你爸爸找到了没？”

“没。”我说。

“按你对他的了解，他会去哪里？”

我摇头说：“我一点都不了解他。”

她叹口气说：“十七岁的烦恼，总是一模一样。”

我可不想她看轻我，一连串解释道：“老师，我知道你怎么想，可我真的不是为赋新辞强说愁。我的事很麻烦，我爸失踪了，我继母要卖掉房子，我身无分文并且无家可归。或许从明天起，我就得退学了。”

“哪有那么严重！”她笑。

不明白为什么在她的眼里，我的言行举止好像永远都那么好笑。就在我无比沮丧心灰意冷的时候，她补充的一句话差点让我眼泪蹦出来，她说：“老师怎么可能让退学这种事发生呢？”

我低下头，用双手捂住脸，掩饰我的窘态和感动。

“你因为这些心里不痛快，所以才在操场上和别人打架？”

她到底还是知道了。

“对不起。”我慌忙抬头解释，“那完全是一场误会。”

“我知道。”她说，“我想我了解真相。”

她如此照顾我的自尊，让我更加羞愧——在她休假的日子，还让她如此操心。

“这样吧，我先送你回学校。”她安慰我，“一切烦恼很快都会过去的。”

“那你的烦恼呢？”我说，“你也相信它会很快过去吗？”

她没回答我，而是有些无奈地笑了笑。

我真恨自己管不住自己的嘴，说出这些让她难堪的话来。虽然我的事和她的事比起来，在她心中真的是微不足道的小事，或者仅仅是我用于逃课的不守规矩的一个理由，但站在她的立场上来说，我是完全可以理解并认同她如此看待我的。哪怕这种理解和认同，让我痛得心都快要碎掉。

“还记得我跟你说过，以前我和我一个好朋友经常来这里吗？”

“她叫吧啦。”我说，“我一直记得这名字。”

“是的，吧啦。”我注意到，当她念出这个名字的时候，语气特别特别的轻柔，仿佛怕一大声，回忆就被吓跑了一样。于是我也安安静静地等她继续说下去。

“她死了。”她看着我说，“后来我就常常想，人只要活着，就是最大的希望。灾难往往是人生最好的教材，教我们如何更好地活下去。”

她是在开导我，我知道。

为了开导我，她不惜触碰一些不快乐的往事，我亦懂得感恩。

“那个吧啦，她为什么死呢？”我说，“难道是跳河自尽的吗？”

她笑了，狡猾地说：“今天就到此为止吧，以后有机会再告诉你。你看，雨下大了，我们该走了。”

我坐着没动，沉默地反抗。我希望她能把我当成一个知心朋友，这样才不会只给我一个有头没尾的故事。但同时我心里又很明白，这是一件不可能的事。我永远都跨不过岁月的鸿沟，直达她心里最秘密的领地。于是我只能犯傻不动，单纯地希望这份时光能尽可能地被延长。多一秒是一秒！

然而不解风情的雨真的越下越大，而她那把小小的伞已经快要招架不住了。

就在我担心她会感冒快要投降的时候，她却开口说道：“既然你这么不想回学校，那就到我家去坐坐吧，离这里很近的。”

我忽然耳鸣了，脑子里像开过了一辆重型机械车，什么都听不清。

“去我家坐坐。”她重复了一遍。

去她家!

坐坐!!

此时此刻的我，像一个走在大街上忽然捡到了一张八千万彩票的彩民，幸福瞬间蔓延成一片汪洋大海，一颗小心脏被喜悦涨成一面巨大的风帆，不顾风浪，傲然起航。

_10

到她家的时候，我们俩都淋湿了，她一定很冷，开门时，握钥匙的手都在颤抖。

我真想把那样一双手抓住，替她暖一暖。

来不及胡思乱想，她已经打开灯，从鞋架上递了一双拖鞋给我。我的裤子从裤脚一直湿到膝盖，简直成了渐变色的了，这让我有些窘迫。她给我的那双崭新的男式拖鞋很宽大，比我四十二号的脚要大出一号。

“家里有点乱。这两天都没空收拾。”她对我笑了笑，笑容里充满疲倦。

我放眼一看，其实也不乱。或许乱的，只是她的心情吧。

我立刻觉出自己的不懂事，不应该在她这么累的时候还来打扰她。她又给我递过来一套衣服，还有一条毛巾。

“进浴室换好再出来，把脏衣服挂着就好，头发也要擦干，浴室里有吹风机，可以吹一吹，不注意的话该感冒了。”

我本想拒绝，用满不在乎来表现一下自己的男儿气概，但是眼看着自己仍在滴水的裤脚，怕弄脏了她家的地板，只好乖乖走进浴室。

她塞给我的是一套男式的家居服，也是簇新的，衣领上的标签还没有拆除。衣服大了点，我穿上有些晃荡。

这套衣服，和那双鞋，大概都是给某个重要“客人”准备的吧。

鞋比我大一码，衣服比我大一些，都让我有一丝丝嫉妒。

我再次看着镜子中的自己，头发凌乱地贴着脑门，耳朵边缘特别红，像是刚刚撒了一个很大的谎，一脸掩盖不住的慌乱。关上门的浴室太安静了，以至于听不到她在外面走动的声音，一切都安静得出奇，如果不是真真切切地闻到沐浴乳的兰花清香，我绝不敢不把它当做一场梦——我居然在她家的浴室里！

段柏文，你三生有幸！

好不容易平复好自己的心情，我用温热的掌心抹平额头的发丝，深吸一口气，推门走了出去。

外面的空调打得很足，一冷一热，我的脸肯定更红了。

她手里握着一杯清茶，正站在墙上挂着的一幅画前，像是在端详，也像想着什么心事。我不知该唤她，还是直接走过去，只能傻傻地站在原地。

不过她还是很快回过神说：“你随便坐，我也去换件衣服。”

说完，她进了里屋。

我也往那幅画看去，那画不就是她电脑屏保上那一幅嘛，挂在墙上，比电脑屏幕上的更显气质。

我虽然看不懂画，但直觉告诉我，这应该是真品。

在她家，根本就不该有任何赝品和虚伪的东西存在。

我还在研究那幅画的时候，她换好衣服出来了。她给我倒了一杯茶后俯下身，在电视机旁矮柜上的碟片架前挑挑拣拣，仿佛在自言自语："现在的年轻人，都喜欢听什么样的音乐呢？"

"老师，你也是年轻人呀。"说完这句话，我才意识到自己马屁拍得露骨，于是又补上一句："其实，我们什么都听不懂的，就是喜欢瞎掺和。"

这都什么跟什么呀！

我的好口才，好像被刚才兜头的雨水泼到下水道里去了。

不过她好像没有听到我在说什么一样。而是从一堆碟片里果断地抽出一张来，送进了CD机。

那是小野丽莎。谢天谢地，我知道她。

只可惜如今再好的音乐，对我而言都是白瞎。

茶几上放着一个玻璃烟灰缸，晶莹透亮，不像烟灰缸，倒像个工艺品。似乎也是新的。那个"客人"真好命，她连烟灰缸都为他准备好了。烟灰缸旁，就放着一副相框。想来真是不幸，那张照片没能逃过我的视线。虽然我一开始就竭力不想看到，但他们的大头照还是尽收我的眼底。

他正在吻她的耳垂！

这般下流，我都替他脸红！

再仔细一看，果然，他靠她要命得近，正低着头亲吻她的左耳。而她，好像在听他低声唱什么歌一样，眼睛眯成两道弯，嘴角洋溢着甜蜜的笑容。

不得不说，他的近影看上去十分英俊。

而且，最重要的是，有一种挥之不去的成熟男人的气息，让我汗颜。

他，就是那个“客人”吧？

我压根没有权利过问她的私生活，所以，关于那个照片上的“客人”的来历、身份以及她是否感觉幸福，我也只好睁一只眼闭一只眼，绕道而行。

她家的沙发，有淡淡香味。这令我想起我家那个臭得要死的沙发。其实本来没那么臭的，因为我爸总是坐在沙发上抽烟，董佳蕾为了去除烟味，就用她的法国香水来盖，又因为靠近厨房，不免沾上油烟味。结果几种味道混合在一起，时间一长，味道难闻得让人躺都躺不下来。

董佳蕾成天待在家，连把沙发拆了洗洗都不肯做，除了欲盖弥彰雪上加霜胡作非为胡乱猜疑，还能干出什么好事来呢？

活该我爸被她卖了还替她数钱。

她坐的位置离我有点远，我有些失望，又不敢靠近，挣扎了一会儿，还是决定放弃。

但有一点可以肯定的是，她看上去比我还要心神不宁。而她心神不宁的样子让我心如刀绞，恨不得给她一个狠狠的拥抱。

“你该饿了吧，我给你弄点吃的。”她忽然想起来，说完就转身飞快进了厨房。

我忍不住走进去，发现她看着橱柜在发呆，我看到橱柜里码着整整齐齐的各种各样的方便面。我走到她左边，问她："你平时就吃这个？"

她不理我，好像没听见。

我有些尴尬，不知道该不该继续说话。她却转身看了看我，问："你什么时候进来的？"

"刚刚啊。"我说。

"瞧，我都没听见。"她抱歉地说，"我只会煮这个。你是要酸菜鱼口味、红烧肉口味，还是麻辣牛肉口味呢？"

"麻辣的吧。"我随便乱挑了一个。

她给锅接上水，开始煮面。

我看着她的背影，鼻子竟有些酸。

我已经多少年没吃过煮方便面了？

在我小学甚至初中，在网吧度过的日日夜夜里，顶多是开水潦草地泡一泡；在董佳蕾家里（这么多年来，我第一次知道我原来一直是住在别人家），饿了只能等，没什么可以充饥。

不知道为什么，她的背影竟让我想起我久违的母亲。这种无厘头的联想让我的心像被丢到云端再陷入深海一样，痛苦和幸福的双重感绞得我快要闭过气去。

面终于好了。

我们面对面坐。她把香气扑鼻的面碗推到我面前，面上还盖着一个荷包蛋，外加几片火腿，我几乎潸然泪下。

“我吃过最好的面，是天中旁边的拉面馆里的。”她穿着围裙，用一只手撑着下巴，眼神变得很朦胧，似乎沉浸在某种美好的回忆里，像只小兔子一样可爱。

不知道为什么，只能想到小兔子这样的形容。

我问：“你怎么不吃？”

“我不饿。”她笑着说，“我晚上吃得都很少，睡前冲杯麦片就饱了。”

“老师，你有个坏毛病。”我一边吃面一边说她。

“是吗？”她说，“是什么？”

“你太爱走神了，跟你说话，你总是听不见。”

“有吗？”她说。

“有的。”我说，“不过在大街上可不能这样，会很不安全。”

“段柏文。”她下定决心一样对我说，“我要告诉你一个我的秘密，我的左耳是听不见的。不信，你可以试着在我左耳边说句话，即使是大声的话，我也可能听不见的。”

我忽然想起刚才那幅照片，怪不得那位“客人”要亲她的左耳。一定是非常疼惜她，才会这样吧。即使有些失聪，仍然把她奉若掌上明珠。我心中的醋意不可遏止地膨胀发酵，差点让我打一个喷嚏。

她说：“不信，你可以在我左边说一句话试试。”

可是说什么呢？

如果真要我说，那一刻，我心里只有一句话：老师，我喜欢你。

我是多么想把这句话大声对着她左耳喊出来，哪怕她真的听见了，真的听见了又怎么样呢？喜欢不是罪！

我压抑得太久了，不应该辜负上天给我的这么好的一次机会。

如果她认为我太过放肆或大逆不道，就让她杀了我吧，反正横竖都是死。就像我藏在语文笔记本最隐秘一页的那句诗：若动了心是死路一条，我死得其所。

想到这，我终于鼓起勇气，站起身，在她左边的沙发上坐下。

她很配合地将头发拨到耳后，指指自己的耳朵，又将头侧过去一点，做好随时准备倾听的样子。

这是我第一次这么靠近她，她细弱而漆黑的头发，温顺地披在肩上，像一把真丝制的小雨伞。

可是，我最终说出口的话却是："我每天都穿增高鞋垫的。"

她在笑，我不能确定她是不是听见了。

可是，你知道，这根本就不是我想说的话。

我临时改变主意，做了可耻的逃兵。

时光被凝结了。我一直在她左边坐着，她也没有回过头。我嗅得到她头发的味道，遥远得像是拨开密布的阴云，倾泻而出的阳光的味道。

我好不容易才扭开我一直盯着她看的不礼貌的脑袋，转到她家电视机旁边那堆DVD碟片上，它们好像都没有拆封，而且全都是美国大片，应该不是她的口味才对。我问她为什么不看，她告诉我她没有时间。

我大着胆子学大人腔责备她："没时间看还买，浪费钱。"

她并不在意我的冒犯，而是问我："那你呢，喜欢看电影吗？好像现在的年轻人都不太喜欢看电影呢。"

她口口声声都是"现在的年轻人"，我小心眼地怀疑她之所以这么说是要刻意营造出我和她之间的代沟来。

为了在她面前显示我的素质和成熟，我开始卖弄，并跟她说起我最喜欢的电影《重金属摇滚双面人》——

"这部片作为商业片来说，制作精良，技巧纯熟。虽然可能会饱受众多重金属迷的批评，但我个人认为这部片还是很有可取之处：男主角分裂人格的秘密折磨了自己，也折磨了他心爱的女主角。但是在他决定不再保守这个秘密之后，也就不受秘密的困扰了。一直反对他事业的女主角也转而支持他了，这点很发人深思。"

我夸夸其谈，像电视新闻评论里的丑角。真是中邪了，在我开始张口说话以后，就变得停不下来。

当我意识到应该住嘴的时候，看了看手表，十点了。

我知道，是时候离开了，再待下去，就太不礼貌了。

我站起身，看了看窗外，决定和她告别。

换好我的湿衣服，把那件T恤整整齐齐地叠好，我们回到门口。

她穿着一双橘红色的卡通拖鞋，非常小的鞋子，旁边就是我又脏又笨重的球鞋。我弯下腰换鞋，她站在门边，问我要不要带一把伞走。

"不用了。已经不下雨了。"

"那好，回校以后，一定要发条短信给我。"

我点点头。

她最后叫住我说："谢谢你。"

我抬起头。

她又重复了一遍："段柏文，谢谢你。谢谢你刚才一直在说话。老实说，最近这段时间，我一个人总是容易呆住。有一个人在身边说话，时间不会那么漫长。"

"这么说我也该谢谢你。"我说，"其实我也很长时间，没有这么跟人说过话了。"

"好啦，快走吧。"她说完，踮起脚，伸出手，在我的头上挠了挠，我的头发一定变乱了。但我们还是一起由衷地笑了。

"咔嚓"她的房门在我身后合上，我立刻后悔错过了机会，没有大胆地说出我的表白。是真的后悔，但是我始终没有再回去敲门，我只是用最快的速度跑下楼，跑出小区，站在一根电线杆旁边，抱着头，狠狠地往电线杆上撞了三下。

这是我目前能想到的，惩罚我自己的最好方式。

_11

当我捂着剧痛的头，发现自己刚才的矬样被人尽收眼底的时候，为时已晚。

特别是，看到我出丑的人并不是别人，偏偏就是那个路虎男——也就是那套睡衣和那双霸道的拖鞋的主人——这不是冤家路窄是什么？！

我发誓如果我之前发现了他的车，就是现在脖子上架着一把比斯嘉丽昨晚亮出的独门武器还要长十倍的大刀，我眉头也绝不会皱一下。

真是老天没眼。

奇怪的是，他的车离我真的很近，可为什么之前我竟然一点也没发现？

我微微回头，确定他正透过玻璃窗在审视着我。车内的音响屏幕发出绿油油的光，虽然看不清楚他的五官，但表情一定是充满嘲弄的。我挺直了背，想尽量显得挺拔些。就在我发现了自己可笑的同时，身后传来了汽车的喇叭声。

他是在叫我。

离开还是过去？我正在犹豫，身后的嗽叭又响了一声。

谁怕谁？！

或许是不顾死活地想跟他PK，又或许是心里藏了太多对他的好奇，我来不及分析自己的心态就走到了他的车旁边，拉开了车门，坐上了车。

“星光这么美，干吗自残？”他问。

“我愿意，我喜欢。不行吗？”我以无赖的方式开始了我对他的挑战。

“一定是发生了什么天大的事吧！”他用嘲笑的口吻说，“雨水淋湿了裤子，要不就是作文没有拿到高分，或者被老师批评不用功，又或者，被隔壁班的女生翻了个白眼？”

我敢肯定，他是故意这么看扁我。

我决定跟他来点狠的，于是我问他：“你认识吧啦吗？”

他果然被我震到，手放到我肩上来，问我说：“你都听说了些什么？”

“没什么。”此时不卖关子，更待何时。

“你去她家做什么？”他语气似审犯人，但我却超有成就感。我铁了心，就是要惹怒他，让他不安，让他难受，所以我慢悠悠地答道：“我要是说我代表全班同学去看望她，你信不信？”

“信啊。”他说，“你长得就挺像团支书的。”

“你骂谁呢？”

我们班那个团支书，动不动拿官腔跟我说话，是我最讨厌的那种人。

他冷静地说：“你小子不给我老实招，我还会抽你。你信不信？”他一面说着，放在我肩上的手就一面加重了力道，他力气真是大，我疼得忍不住大叫起来。

“放开我。”我龇牙咧嘴地喊，“不然我告诉李老师！”

“这个我真怕。”他说完，哈哈大笑，松开我，掏出一盒烟，问我要不要来一根。我接了过来。他替我把烟点燃，这感觉我还是挺喜欢的，至少这样我们看上去平等了许多。

我动动还在痛的肩膀问他：“你是被她甩了吗？拿我出气。”

他吐了一口烟，很臭屁地对我说：“你去问问她敢不敢甩我？”

“别吹了吧，你这么能，为什么不敢上去找她，而是鬼鬼祟祟地躲在她家楼下？”

“我们有过约定，我三天不打扰她。”他说，“过去我曾多次让她失望，这一次，我想守住诺言，让她好好想一想。”

“你叫什么名字？”我问他。

“怎么她没告诉你吗？”他说，“我以为你啥都知道呢。”

不说就算了，小气鬼。

“我就知道你很有钱，开这么好的车。”我酸酸地说，“你是富二代吗？”

“我也想，但没那个命。”他说，“我平时都在北京，这车是我哥们儿的，他叫黑人。这几年运气好，发了财。你应该听说过他的吧，他以前在这一带可是风云人物。”

我摇摇头。

他笑着，恍然大悟地说：“我们出来混的时候，你还在念幼儿园吧？”

算他狠！一棍子把我打到非仰望才能看到他的距离。

“你老师，她好不好？”他忽然问我。

“不是很好。”我老实对他说，“或许，你应该想办法让她快乐一点儿。不要老是让她吃泡面，那样对身体很不好。还有，别给她买那些打打杀杀的烂片子，我猜她一点儿也不喜欢。另外啊，你以后要是和她照相，麻烦你不要摆出色狼一样的pose，那样跟她很不配的。”

“看来你小子知道的真的不少。”他盯着我，有些我喜欢的醋意在空中飘荡。

“擅于观察而已。”我提醒自己刚占上风，一定要稳住，不能轻飘飘。不然随时又会被他扳回一局。

他对我宣布：“我这次回来，是要带她走的。”

“你带不走的。”我斩钉截铁但其实无比心虚地说。

“我们要不要赌？”他问。

“不赌，无聊。”

他没有生气，倒是哈哈大笑起来，说：“长夜漫漫啊，既然都这么无聊，不如我做件好事送你回学校吧。”

我本想推脱一下，但想到自己身上没钱，就把逞能的话活生生咽了回去。就在他发动车子的时候，我俩同时从后视镜里发现了一个人，是她，正从小区里飞快地走出来。她在居家服外面套着一件和她身材很不相称的大外套，像一个很大的蹦跶的棉花糖。

我先打开门跳下了车。

不知道为什么，我不想让她知道我和她男朋友在一起。

但一切为时已晚，她已经看到了一切，并且停下了脚步。

路虎男没有下车，而是在车上又点燃了一根烟。

就这样，我们三个，组成了一个奇怪的三角形，定格在夜色里。

最先移动的人是她。她走到我面前来，小声对我说："你手机没带的吗？我忘了你身上没有钱这回事了，要是从这里走回天中，可不是一般的远。"

我感动得无以复加，原来她追出来，是因为我。

我赶紧掏出手机来看，我带着手机，只是上课时把它调到了静音状态，所以才会来什么电话都不知道。再一看上面，不得了，差不多有二十个未接电话。我的手机从没这么忙碌过，难道发生了什么天大的事？

我正想着呢，屏幕就亮了，又有电话进来。

我把手机放回口袋里，她提醒我说："怎么不接？"

"不会有什么事。"我说。

"是你爸爸吧？"她说，"快，接一下。"

我不敢违抗她的命令，只好把手机拿起来放到耳边，电话那头传来的是于池子的妈妈孙阿姨着急的声音："柏文，你终于接了，你在哪里？赶紧来我家一趟，你爸爸在这里，他喝得有点多，情绪有点不稳定。”

“他到底怎么了？”我问。

“别问那么多了，赶紧过来……”

她的话还没说完，电话断了，不知道是被谁抢了还是砸了。

我再打过去，那边已经关机。

“怎么了？”她问我，“是不是有你爸消息了？”

“不知道，好像不太妙。”我握住手机，心跳得飞快，因为我知道，于池子的妈妈是见过大风大浪的人，如若不是事情真的糟到一定的地步，她绝不会打电话向我求助。

我那该死的父亲，他到底怎么了呢？

“他在哪里？我陪你去找他。”说完这句话，她一把拉开了路虎车后座的车门，先拉我过来，把我一把推进了车，然后她也跳上了车，对着空气命令道：“开车！”

车子并没有动。

一分钟过去了，两分钟过去了，三分钟过去了。

不得不承认，在这场沉默的博弈里，我是最尴尬的那枚过河卒子，坐看高人过招，等待命运裁决。

她口气坚决地说：“你要是不送，我们就打车。”

他答：“你要敢下车，我就打断你的腿。”

我靠，居然在她的学生面前如此不给她面子，我正想站起身来，脱下我的脏球鞋敲碎他的头的时候，他却转过头来温柔地对她说道：“你坐前面来，我就听你的。”

而她居然没反对，拉开车门乖乖地坐到前面去。就在我看得目瞪口呆的时候，她转过头来问我："我们该去哪里？"

"龙樱花园。"我屈辱地说。

我也不知道我的屈辱从何而来，但我找不到别的更好的词来形容我此时此刻的心情，如果不是我那不争气的老爸，她应该不必这样低三下四甘拜下风吧。在我看来，她和他之间，完全应该是那种她叫他站他不敢坐，叫他往东他不敢往西的上下关系才对。

我甚至不要脸地想，如果换成我，那指定是这样的。

下过雨的街道湿答答的，又不是周末，这个时间路上几乎没有行人。路虎男把车开得飞快，车技算是过得去，至少比我爸那开车像睡着、刹车像惊醒的技术稳定得多。

我正在心里夸着他呢，他却一个好端端的急刹车把车停到了路边，身子往前倾，两只胳膊放到方向盘上，扭头问她："听说你家有不少方便面？"

她不答。

"还有什么打打杀杀的烂片子？"他又问。

她依旧沉默。

"还有，我们的合影？"

我发誓，如果路虎男再问下去，我的心就要跳出胸腔了。我可不想她对我有什么误会，把我当成那种超级八卦的小男生。

"张漾。"她说，"你答应给我三天的，说话要算数。"

原来他叫张漾。

"你呢？"他忽然朝她大吼，"你他妈说话算数的吗？你不是说，你把过去统统都忘了吗？”

“别这样。”她好像在求他。我知道，她是不想让我看到她和他吵架的一幕。她是我的老师，她有她的尊严。

“回答我。”他却不依不饶地在逼她。

她显然很为难。

“如果你答不出来，请原谅我，我要当着小朋友的面做点不该做的事了。”说时迟那时快，令我震惊的事情发生了，只见他一把拉过她，并埋下头，吻了她。

很短吧，三秒钟？

但这个尺度远远地大过了我心脏的承受力。

我整个人碎裂到空气里，片甲不留。

车子很快就重新发动了。车内的空气变得很诡异，车子很快就要到达目的地，可我已经控制不了我自己，就在我准备拉开车门跳下车的时候，忽然车子开始激烈地摇摆，他喊了一声：“操！”方向盘一个急转，我们的车子已经横在了绿化带上。再往后方瞧，就看到一辆桑塔纳，以迅雷不及掩耳之势，从我们的左前方冲了过去，那辆车稳稳地撞上了排在我们后面的一辆商务车上。商务车原地转了好几个圈，才在马路牙子边勉强停住。

我回头，从我这个方向唯一能看清的是肇事车车头冒起了阵阵白烟，以及车牌号码：A87661。

“爸！”我直接打开车门就从路虎车上跳了下去。

这是他的车，我不会认错！

我跑到他车子旁，拼命拍车窗，终于看到我爸煞白的脸。他费力地打开车门，走下来，看上去倒是安然无恙，只是一身的酒气，半睁着眼问我："你怎么来了啊？"

他到底喝了多少，喝成这样还敢开着车出来？这不是自杀是什么！

被撞的一方车上是三个男的，下了车以后就骂骂咧咧地站在我爸周围，连声说："怎么开车呢，找死是不是啊！"

我爸完全还是惊魂未定的状态，他茫然地走上前去，嘴里说着胡话："撞哪里了？让我瞧瞧！"

那个人推开他的胳膊就开始打报警电话，他没站稳，一下子就跌到地上。伸手扶他起来的人，是张漾。

"哥们儿，"他一面扶我爸站起来，一面大声朝那三个男人喊道，"别冲动，有事好商量。"

就在这个时候，身后又传来急刹车声，另外一辆车停在路边。只见孙阿姨从车上狂奔下来。她直冲过来，奔上前去就拉着我爸，拖着哭腔上上下下地打量他："老段，你没事吧？"

张漾一步上前，径直走到我爸车前面，检查了一下车况，又低下头不知道问了我爸一句什么。可是我爸朝他挥挥手，大喊了一句："我就是喝了，咋的吧！"

我整个人都懵了，完全不清楚状况。

被撞的那辆车外表看不出哪里有问题，我爸的车就糟了，车头毁得一塌糊涂。要是再撞猛一点儿……我不敢再往下想，身体也不由自主地发起抖来。

就在这时候，她走到我身后，伸出手拍拍我的臂膀。

围观的人越来越多，对方可能也不想把事闹大，上来一个代表问道：“公了还是私了，你们谁说了算。”

“私了。”孙阿姨声音颤抖地说。

对方伸出五根手指头。

“五千？”

对方缓缓地摇摇头。

“公了！”我爸突然大喊起来，把两只手腕并到一起，举起来，一直举到对方眼前说，“抓我进去，我就等着被抓进去呢！快点，把我抓进去啊！我他妈等这一天等很久了！”

我看着我那失态的、丑陋的父亲，觉得天和地都在摇晃，世界末日就要来临。

“你疯啦，胡说八道些什么！”我冲上前，使劲推了我爸一把，他一个趔趄倒在了地上。孙阿姨上前扶他，用责备的口吻喊了我一声：“柏文！”

但我现在已经什么都听不进去了，极度的惊恐让我失态地大喊大叫：“你坐牢，你想死，谁也管不着你！那你让我怎么办哪？你想过没有，我妈都没有了，你还要让我连爸都没有吗！”

“冷静点！”张漾抓住我的胳膊，把我拉到一边，丢给我一包烟，说，“去，到那边抽根烟，这里没你事。”

我走到了马路牙子边，就蹲在那辆废车的后面。我握着烟，大脑一片空白。

她不知道什么时候蹲在了我旁边。火光照亮了她的眼睛，像星星一样。

此时此刻，再多星星也不能温暖我了。我仍在颤抖。一个不要命的父亲，能让我说什么呢？他这么丧心病狂地寻死，就是准备丢下我一个，让我做孤儿。我把刚点燃的烟又揉碎，掐进路边的泥土里，心里万念俱灰，终于哭了。

她把一只手放在我的背上，这个温柔的动作更令我无助。我强忍着泪水，泪水反而更加汹涌。

"知道吗，你长得很像我的一个朋友。"她说，"是很久以前的朋友了。他叫许弋，又帅，又有才华。他也是天中毕业的哦。当时，天中有许多女孩子喜欢他，是白马王子的类型呢。"

亏她想得出，居然这样安慰我！

但其实我更悲伤了，因为我在她心中，永远成不了白马王子吧！因为她已不是当年的她。因为在她读高中的时候，我才读小学，可能四则运算还没学齐。

所以对我来说，她永远都只能是天上最远最美的那颗星星，今生今世永远没有结果。

她却继续沉浸在那份回忆里。"那时候，他总爱穿白色的衣服。现在很少有这样的男生了。他对网络和电脑可精通了，我的第一个博客就是他装修的呢。"

我心里一怔，莫非就是于池子说的那个博客？

她喃喃地说："对已经离开的人来说，能给活着的人留下点什么，该是自己最后的幸福了吧。可是对活着的人来说，最后的幸福，却是祈求有些人永远不要离开。"

我自己点燃了第二根烟，深吸了一口。在她的叙述里，我知道，他们一定有过不寻常的故事。不知道那个许弋，是不是也像我一样，深深迷恋过她呢？又或者，他根本就是张漾真正的情敌？

越过她的肩膀，我看到那边的张漾，他正背起我醉得不醒人事的爸爸往于池子妈妈的车上放。我终于认识到我和他之间的差距，不得不说，我们一个是boy，一个是man。遇到紧急情况，我只有犯傻的份。而他，则是路见不平拔刀相助的英雄。

如此说来，我输得有什么不服气的呢？

“放心吧。”她对我说，“不会有事的。”

她对他是如此的信任，完全没有任何的怀疑。事实也证明是这样，在张漾的协调下，事情总算没有搞大。我爸的车前面全被撞坏了，但对方的车其实并没有大事，主要是人受了惊吓，最终商定一万元赔偿金额。于池子妈妈带的钱不够，又是张漾拿出钱包，把缺口补足了。

“老师，真是对不起，给你们添麻烦了。”孙阿姨千恩万谢的同时也不忘自我介绍，“我是于池子的妈妈，家长会上见过您，您还记得不？明天我让柏文把钱带过去还给你们。”

她笑笑，问：“他爸爸没事吧？”

孙阿姨看看车内，又看我一眼，长长叹息一声。一切尽在不言中。

那晚，他和她一直陪着我们，直到爸爸那辆破车被拖车拖到修理厂去，才离开现场。临走前，我由衷地对他说谢谢。他笑着拍拍我的肩，对我说：“早点回去吧。明天还上课呢！”

“你们也早点休息。”我说。

“我可不行。”他说，“我们还有重大的任务。”

我以为又出什么事了，他却笑着对我说：“我要带你老师去看星星。”

这么冷的天！这个疯狂的人！可是我怎么觉得自己对他越发欣赏和仰慕了呢？！

12

我看着他们的车绝尘而去，好像打算驶往无人之境去仙游。

抬头才发现，天空果然有点点繁星，不甚明亮，需要仔细辨认。

爸爸好像有些醒酒，没之前那么迷糊了。他躺在后座，不停地说：“孙主任，我欠你的啊，孙主任，我还不起了。”

但孙阿姨一直在开车，一句话都没有说。

是谁说过，最坏的事情一直藏在最后面。当我们一行三人回到于池子家中，我才是真正傻眼了。

于池子在家，她捂着脸，趴在沙发上，一动也不动。

家里地板上是一道一道的划痕，像是刀刻上去的；厨房里的垃圾桶被拖到客厅，满地都是剩菜剩饭渣，一股恶臭扑面而来；鞋架上的鞋一只一只摆的到处都是，还有一只高跟鞋，摆在茶几上的盆栽里，茶杯倒在桌上，茶杯盖掉在地上摔得粉碎，深色的茶叶水倒在了白色的沙发上。

到处一片狼藉。

我用眼神试探着询问坐起身的于池子。

在我们眼神交汇的一瞬间，我想我们都明白了这是谁干的。

我看了看爸爸，他红着脸低着头，表情说不上是惭愧还是麻木。于池子的妈妈把倒在地上的椅子扶起来，对我说："坐。"

我没动。

爸爸倒是自助，摇摇晃晃地倒在沙发上，手盖住脸。

发生了这么大的事，他一定是吓坏了，也累坏了。

我咽了一口唾沫，说："对不起。"

"你跟谁说对不起呢？"于池子的口吻陌生得像在问候外星人。她两只眼睛血红血红的，明显哭过，像个怪物。

她继续冷冷地说："我家是什么地方？你们家人随便就出出进进进进出出，想摔就摔想走就走，把我们母女当成什么了？一句对不起，就可以了掉所有？"

孙阿姨伸手拦她，示意她不许再说下去。

于池子还在继续说，声音也提高了："我就说怎么了，你看看他们家的人，疯的疯，醉的醉，成何体统！我们倒了八辈子的霉，才惹上他家的倒霉事……"

"我叫你住嘴！"

"我就不！"她的话刚喊完，就挨了她妈一个清脆的耳光。

我们当时都傻了。

于池子的爸爸和妈妈离婚离得早，孙阿姨一个人拖着于池子长大，这个女儿就是她的掌上明珠。这么多年来，于池子也做过不少让她生气的事，但我还从没见阿姨动手打过她。

一阵沉默后，于池子一只手捂着脸，另一只手在我和我爸之间游移，拖着哭腔问她妈：“你打我？你是为了他打我，还是为了他打我？”

“对不起……”孙阿姨说。

“别跟我说对不起，你应该跟你自己说对不起。你傻不傻啊，你等人家等了三十二年。人家需要你，就把这里当成避难所！不需要你，就一脚把你踢得远远的。他的女人跑这里来闹，你还要做和事佬？你和那个姓董的，谁比谁先到啊？啊？你还要忍到什么时候？你不要脸我还要脸呢！”

阿姨脸色苍白地说：“池子，你别胡说！”

“我没胡说！”于池子大喊着，蹲下身，从沙发底座里抽出一个很大的纸盒，当着我的面踢翻它，指着里面的东西说：“别想瞒我，我什么都知道了！”

我看到，那是几本日记，还有一叠相片。

她妈妈脸色立刻变了，激动地蹲下身，将那些东西拢在胸前，这都是些什么呢？如果这些真的是于池子所说的，她藏了三十二年的秘密，我觉得于池子真是太太太残忍了。

我走上前，对于池子说：“你别闹了，先去休息，好不好？”

“你滚开！”于池子用力地推我。我不小心被她推倒，额角撞到玻璃茶几的角上，我痛得忍不住尖叫。我可以感觉到，我的额头上，像长了一个充气的小气球，慢慢肿胀起来。

于池子看我一眼，终于转身走进自己的房间，关上了房门。

有什么秘密好像被揭开了，又好像没有。而最搞笑的是，此时此刻，客厅里响起了爸爸重重的鼾声。

这个男人闯下这么多的祸，自己倒先睡着了。

孙阿姨把那堆东西都收拾好，放进了自己房间里，又忙不迭抱了一床被子出来，替我爸轻轻盖上。然后再到厨房里拿来猪油膏，替我抹额头。

我仔细看孙阿姨的脸。这么多年来，我对她已经熟悉得不能再熟悉了。可是第一次凑近看她的脸，她竟然已经这么老了。不再是以前那个涂着红唇膏，戴着一副银边近视眼镜的孙阿姨，而是眼角皱起，肤色也不再那么白皙，整张脸像是一朵粘在墙上的白玉兰花瓣一样的孙阿姨。才一阵风吹过的时间，就老去了似的。

我忽然怀念起妈妈刚去世那会儿，有段时间我爸也病倒了，我住在她家。她每天下了班以后还要熬中药，去医院陪夜。

直到今天我才发现，于池子说的，可能真的是真的。只是这一切，被孙阿姨藏得太深藏得太久了而已。长这么大，为什么我从来没有怀疑过孙阿姨对爸爸到底是怎么一回事呢？除了董佳蕾，也从不见人说他们的闲话。与花枝招展的董佳蕾相比，孙阿姨，好像是用沉默来抵抗命运的。

三十二年，对一个女人意味着什么，以我这个年龄，难以想见。沉默的孙阿姨，爸爸口中的“孙主任”，面对她这么坚定的爱，如果我是我爸爸，一定会和他一样无地自容自惭形秽。

“对不起。”阿姨一面替我擦药一面说，“池子从小被我宠坏了，你这个当哥哥的担待一点儿啊。”

我说：“阿姨，你千万别这么说……”我话没说完，她制止我继续说下去。然后她缓缓走进厨房拿了一块抹布，开始收拾地上的残渣。

我连忙弯下腰去帮忙。或许我父亲欠的，注定该让我来还吧。成熟和懂事，像是树上结的苹果，不到时间绝不掉落。

我看到阿姨擦过的地面上掉下一滴一滴的泪水，阿姨哭了。

我很想知道，这算什么呢?

这是我们一家子的悲剧呢，还是于池子一家子的?

到底是谁的错?

我没有答案，唯有用力地抹掉那些泪水，像是要抹掉我心里所有不甘的回忆。

那天收拾妥帖以后，已经是凌晨两点多钟。爸爸一直躺在沙发上熟睡。看上去，他好像有几天几夜没有睡觉了。

我想起了很多往事。五年级暑假，我妈病最重的时候，我每天都泡在网吧。他踢开网吧的门，走到我身边，把我的凳子一把抽掉。我一个趔趄坐在地上，哇哇大哭。他说：“你还知道哭啊?你不要你妈了，你妈还要你呢！”

还有初一的一个晚上。他也是喝了酒，很晚了才回家，满身酒气的他悄悄打开我的房门。我其实没有睡着，只是不想这么晚了还和他说话。他看我一动不动，先是帮我把空调被掖了掖，继而用胡子在我的脸上扎了扎，嘟囔了一句：“臭小子，长这么大了。”就带上门，走了出去。

还有初三那年，我被天中录取，他非要大摆谢师宴，请了以前的好多战友，说是为我庆祝。连董佳蕾都来跟我碰杯，说恭喜。我却怪他虚荣心强："又不是考上大学，这么大阵仗！"那天他也喝醉了，和他的战友们一起唱了一首歌送给我。

那首歌是《懂你》。

"多想告诉你，其实在我心里一直都懂你……"他唱破了嗓子，却从未那么开心，笑得整个脸都涨红了。

这样一个父亲，我到底该恨，还是爱？

孙阿姨去洗澡了，我刚站起身准备去睡觉，就看见于池子的房门缓缓打开来，原来她还没睡。

她站在门边，用眼神在跟我说话。我知道她在说："你过来。"

我过去了。她手上拿着两个创口贴，撕开了包装的。

我稍微低下一点头，好让她够得到伤口。

其实我很想告诉她，擦了猪油膏就不用再贴创口贴了。但我还是决定不说，任由那两个创口贴在我的额头上打了一个很大的"叉"。

于池子用手指点在那个"叉"上面，停了好几秒，这才说了一句话："段柏文，我恨你。"

说完，她就又走到房间里，把自己锁了起来。

13

第二天，我醒来的时候，都已经是中午。

于池子回学校去了，爸爸坐在沙发上。这一夜，他至少老了五岁。

孙阿姨做了午饭，但我们都吃得很少。

一直到我们离开，走到孙阿姨家楼下，我才忍不住问我爸：“她要把房子卖了，你不会不知道吧？”

他说：“你别怪她，也不是她的错。都是我不好。”

“事到如今你还这么说？你把我妈给我的房子给了她不说，还让她把你和我赶走！你这样做对我公平吗？对我死去的妈公平吗？”

他喃喃地说：“柏文，真的是爸爸不好。爸爸投资失败，欠了很多很多的钱，无路可走了。”

我在午后的阳光中注视着他，我的父亲，他已经两鬓斑白，脸上的皮肤也开始松弛。我们隔着如此遥远而陌生的距离，多少次试图走近，却都无功而返。

“你快去学校吧。”他不敢看我，眼神闪烁地说，“我去4S店看看车。”

等出租车开走后，我给他发了一条短信：“爸爸，无论如何，你还有我这个儿子，请为我保重。”

他是我的父亲，我在这世上唯一的亲人。在他一败涂地的时候，我只能站在他的身后，做他唯一的支撑。

不管撑不撑得住，也要撑到最后的一刻。

我一直渴望做一个成熟的男人，但我在那一霎才明白，真正成熟的男人，需要的只是一种担当，一种把所有绝望扛在自己的肩上，坚持到最后的担当。

那个下午，我没有回校，决定先回家，跟董佳蕾把这笔总账算清楚。

我把钥匙插进锁孔里，庆幸的是，它还能打开我的家门。

只是家里异乎寻常地干净，干净得我都快要不认识了。连窗帘都好像拆下来洗过了，淡黄色洗成了白色；电视机像死人头，史无前例地挂着幕帘，仿佛沉睡多年；厨房也不再有油烟味，取而代之的是消毒水的气味，和我妈去世前住的无菌病房里的味道一模一样。

看来她真的是要把这里转手了，弄干净点，是为了能卖个好价钱吧。

来时的路上，我已经反复思考了该如何跟她谈判，是晓之以情动之以理，还是大义凛然或苦苦相逼。认识她这些年，我跟她说的话加起来一定不会超过五十句。这份沟通的障碍，我今天必须得克服，为了父亲，当然也是为了我自己。

然而，所有一切的想象都被现实击碎了。因为我刚走进客厅，就看到她拖着一个小皮箱子从他们的房间里走了出来。她的脸颊和眼睛分明都是肿的，但穿戴整齐，一副准备出门的样子。

见到我，她稍微有些吃惊。

“你爸呢？”是她先问。

“去办事了。”我说。

“哦，那我就走了，你让他注意身体。”说到这里，她忽然又牵强地笑了笑，“当然，这也不是我应该关心的了，自有关心他的人替他出主意，轮不到我。”

她又来了！

走就走呗，管她是真是假，正合我意。不过她也不想想自己的年纪，还玩离家出走如此过时的游戏。我真替她感到难为情。

我质问她：“为一些莫虚有的事，你把人家家里搞成那个样子，难道就没有一点愧疚？”

她面无表情地对我说：“或许有一天，当你不幸遭遇爱情的背叛，你会理解我。不过现在说这些都没意义了，我要走了。就算我话多吧，走之前我想要告诉你，你一定要好好爱你的父亲。你对他才是最重要的，我们这些别的人，说到底到头来都是陪衬。”

真不知道她葫芦里卖的是什么药！我别过头去。

“段柏文，你不用这么不耐烦的。”她颤声说，“我们以后，可能永远都不会再见面了。你这么讨厌我，又是何必呢？”

我再看她时，她正在抹眼泪，一边抹一边往外走。不知道为什么，我觉得此时的她软得像一片羽毛，失去了所有的攻击力。

我一直目送着她，想亲眼看着她离开。既然这场戏我是她唯一的观众，我就有责任看着她收场谢幕。而且，为等这一天，我已经等了将近四年。我实在不愿意当这天终于到来的时候，却只是一次遗憾的彩排。所以我不敢弄出一点声音，生怕她会后悔。我更怕的是我爸会突然出现在门口，哀求她不要走。

门终于被关上了，我听到楼梯上传来她皮鞋的踢踏声，越来越远，我才相信，这一切真的成了事实。

午后起了风，声音像孩子的呜咽，和着楼下垃圾车滑过窨井盖的声音，小区广播里隐约的音乐，和那遥远的皮鞋声一起，奏起了离别曲。

直到这时候，我才看到客厅茶几上留着一个挺大的纸包。纸包上面放着的是一枚亮闪闪的戒指。应该是她和我爸的结婚戒指吧。她留下了它，难道这次是来真的？

我打开了那个纸包，看到厚厚五沓人民币。

应该是五万块吧。

钱下面压着的，还有一封信。

我想都没想就打开了它——

段哥：

我走了。

看到“我走了”三个字，你告诉我，这次，你的心里有没有揪一下？

多少次我们吵架，我骗你说，我走了。我再一转头，你就会拉住我的胳膊，说：“好了好了，傻孩子，别生气。”

你总说，我每次任性的时候，你心里都会揪一下。你知道吗？你太宠我了，所以，我才一次次试验你，一次次伤害你，最后都快上瘾了，每次只为了让你的心揪一下。你总说我年纪这么大了，还像个孩子，难道你不知道，这一切都是被你宠坏的吗？

其实，我不怪你，真的。当初嫁给你是我自愿的。现在走，也是我自愿的。记得刚结婚时，你就说，不要孩子。你就柏文一个亲儿子，我能理解的。我还说，只要我们一家人在一起高兴，我什么都无所谓的。你说我傻不傻？我太傻了，傻到以为自己放弃了以前的一切，你就会把我当自家人，柏文也会把我当自家人；傻到没想到让你揪心的结果却是你对孙萍的感情都比对我的深。所以你有什么心里话，宁愿跟她讲，不愿意跟我讲。连柏文这孩子也宁愿和她家人待在一起，也从来不肯跟我多说一句话。

我虽然比你小十二岁，但有些事，我比你看得明白。段哥，也许你不爱孙萍，但孙萍对你是真心的。我走了，你们就光明正大地在一起吧。蕾蕾不吃醋，真的不吃醋。

我以前在圈里混的时候，见惯了男人女人之间的事，朝秦暮楚，左搂右抱的，本来就麻木了。我想得通，真的不吃醋。我知道，现在她对你的帮助一定比我更大，只要对你好，叫我怎么做，其实我都愿意的。真的。

家里的东西我什么也没拿走。我嫁进来的时候，带了多少衣服和化妆品啊，还一直嫌你家的衣橱太小呢。你总说，搬了新家给我订个大的。到走的时候，才知道，再时髦的衣服能值什么呢？最后都嫌过时，嫌老气，不要了。真正带走的东西，装不满一个小皮箱。没有爱，什么都不重要，不值钱的。

段哥，这几年你不容易，外面那些投资收不回来的就算了，赶紧把账还了吧。我这些年没工作，也没挣几个钱，这些现金差不多也是我所有的家当，我把它留给你，帮不上大忙，只略表心意。其他的，你怕是要自己去想办法了。你也别惦记着还我那三十万了，我们夫妻一场，赔掉了就赔掉了，算我命不好。

房子我替你打听过了，找了很多买家，里面那张名片是我觉得最靠谱的买家的联系方法，这家可以一次性付现金，出价也还说得过去。实在不行，你就把房子卖了吧，要是人家真把你告上法庭，那就麻烦大了。还了账，钱还是可以慢慢挣的。生意场上的事情，谁也说不准。不走运的时候，一定要知道早些收手，千万别再为图个义气啥的一掷千金了。还有啊，你总说柏文成绩不好，你为了以后把他送出国，没少花心思。但其实我觉得这孩子挺聪明，不需要你太过担心。你年纪也不小了，注意好自己的身体，才是正经。

无论如何，挺过这关就好。

戒指留给你，留个纪念。还记得你给我戴上的时候我说过的玩笑话吗？“给了我，将来千万别再让我还给你啊。”我真傻，人不在了，要个戒指有什么用？所以，我还是决定还给你。你要是也不想要了，以后还可以打成别的东西。好好的金子别浪费。

最后还有句话：我知道昨天晚上我做的傻事，已经不能挽回了。但我不后悔，一点也不后悔的。你知道吗段哥，在爱的问题上，我确实很自私。但我不怕告诉你我自私。所以，最后这一次，我怎么都要闹一下的，不闹这一下，我走得不舒服，不踏实。不闹这一下，不让你的心再为我揪一下，我一辈子想起来，都是要难过的。

保重。

傻蕾蕾

2009年8月31日

合上信纸，我好像刚刚吃了三个大馒头，被噎得说不出话来。

我没想到，事情会是这样子的。

最想不到的是，原来董佳蕾也有秘密。

在和董佳蕾共处的几年里，我一直觉得她只是个“戏子”：端菜时还要走猫步；看京剧频道，唱得比电视里的人更大声；业余活动除了照镜子就是称体重，要么就是在卧室里一个人练什么扭屁股的拉丁舞，这么大岁数了还妖里妖气。这些都是我讨厌她的地方。我以为她的专长就是在我爸和我面前演戏，直到骗光我爸的一切。

但不知道为什么，此时此刻，我却完全相信她信上所说，没有撒谎。

只是不知道，她到底会去哪里。而没有了董佳蕾的家，我爸还会不会习惯？我没有拦她，会不会犯了一个天大的错误？

我的头，又开始剧烈地痛起来了。

我跑到我爸爸的床头，找到了一粒安眠药，吃下它，回到我的房间，给于池子发了条短信，告诉她我头疼，我要请假，明早再去。

然后，我沉沉地睡去。

当我再次醒来的时候，天亮了，我想我该去上学了。我看了看腕表上的时间，清晨四点五十五分。我打开门，客厅里空无一人。

我走到爸爸的房间门口，听了听里面，并无动静。再推开门来，没看到人。只是客厅里的那包钱和那封信不见了，变成了一小叠钱，钱底下还有张留言条：“儿子，醒了自己去上学，谢谢你给爸爸的勇气。钱替我还给老师，另有五百是你的生活费。爸爸答应你，绝不让你失望。”

我去浴室冲了个冷水澡，换了衣服，换了鞋，背上书包，出发去学校。

一路上，我目睹了日出的过程。

太阳先是露出一道薄薄的金边，然后缓慢地，缓慢地上升，缓慢到你察觉不到她的运动。可是不知道什么时候，她露出了一小块，不知道什么时候，她露出了几乎一半的身影。最后，她整个出来了。阳光照在我的身上，我冰凉的身体开始感觉到暖意。

我从未见过真正的朝阳喷薄的情形。就像有很多的事情，我们在心里认定了很多遍，自以为对它了如指掌，却从不知道它最最真实的样子。

经过了这么多事，我的心里不是一点动荡都没有。但是这些动荡，竟然都没有日出给我的震撼来得大。想到自己和她共处的这个晚上，想到自己差点成了个没爹没妈的孤儿，想到我对他发的火，想到于池子在我头上贴了一个“叉”，想到孙阿姨滴在地板上的眼泪，想到董佳蕾留下的那枚戒指，这些所有的所有，竟没有看到一场日出来得那么强烈。

才发现，原来从boy到man，我要学的东西，是那么那么的多。

14

我走到座位前坐下，首先映入眼帘的是那个彩色的大书包。

它又回到我的座位边上了，还有一口袋冒着热气的烧麦和一盒营养早餐奶。只是，不见这些东西的主人。离早自习的时间还有一会儿，教室里只有三三两两的几个人。他们都在埋头看书，没有人注意到我的存在，就好像没有人发现，我有一天没有来上学一样。我坐下来，脑子里却很奇怪地想到董佳蕾所说的那句话——我们以后可能永远都不会再见面了。在这场看似轰轰烈烈的闹剧里，这真是一句伤感的台词，不是吗？

我终于明白，尽管我一直不能接纳她，到现在也不能理解她爱一个人的方式，但她对我爸的付出是不可抹杀的。患难见真情，我甚至在心里暗暗地发誓，如果爸爸真的把她找回来，我要和她冰释前嫌。我可能还是不会和她说太多话，或者在她让我帮她修网线的时候觉得她很讨嫌，但是，只要她愿意勤快点做饭，不要总是皱着眉头看我，我绝不会再像从前那样，动不动把她当盘菜似的给凉拌了。

没过一会儿，于池子进了教室。

“吃早饭吧。”她把烧麦和早餐奶放到我桌上，低声说，“我刚才去找横刀了，承认是我在网上捉弄了他，他也原谅我了哦。不过，你猜，他说我什么来着？”

“可恶？傻？”

“才不是。”她说，“他夸我有胆量。”

“确实，难道你不怕他的肥婆女友用爪子把你刨了？”

于池子咯咯笑起来，说：“怕哦。怎么不怕，但是，人还是不要做什么亏心事比较好，不然背负这样的秘密太辛苦了，不如被人打一顿呢。”

我俩正说着，丁胖胖背着书包进了教室，她一直走到我们身边，看着于池子说：“快上课了，你回自己的位子好不？”

“嘻嘻。”于池子说，“不好意思，换回来啦。多谢，多谢。”

谁知道丁胖胖却毫不领情，一脸正经地说：“说好的，你怎么可以变卦。快上课了，请赶紧回你自己的座位去。”

“别这样嘛。”于池子小声求她，“算我欠你，友情候补啦。”

“我不要坐最后一排。”丁胖胖坚持说，“我视力不好，一直想调到前面来，是你自愿跟我换的，现在想换回来就换回来，那怎么行！”

“不行也得行！”我拍案而起。

“关你什么事呀！”丁胖胖涨红了脸，扭着身子说道。

“她的事就是我的事！”我大喊一声，教室里忽然安静下来。而一阵寂静之后，回报我的竟然是一片热烈的掌声和欢呼声。于池子的脸因此变得通红，趴在桌上大气也不敢出。直到丁胖胖极不情愿地一步三晃地回到了她的座位上。她才抬起半边脸，像做贼一样对我说：“段柏文，你疯了。”

说完这句话，她把她的小金鱼暖水壶拿出来，对我说：“借你暖暖？”

“不要。”我说。

“去死！”她踢我一脚。

也好，我还是习惯这样的于池子。

吃午饭的时候，我们在餐厅面对面。

我刚夹了一根青菜进嘴里，她就说：“我有一个秘密，不知道应不应该告诉你。”

“说说看呢。”

她嘟起嘴说：“对于我的秘密，你这还是第一次表现出有兴趣哦。”

“礼貌而已啦。”我说，“再不说不听了。”

她把她盘里的排骨统统夹给我，然后说：“这个秘密就是，从今天起我决定减肥！”我不屑的表情还在酝酿的时候，她又飞快地说道，“其实，那天晚上，我就站在假山后面，一切都是我设计的，你不要恨斯嘉丽。”

“我都忘了。”我说。

“我以为你会问我为什么要这么做。”

“那你为什么？”我问。

她却移开视线，不敢看我，而是说：“段柏文，再问下去就很不礼貌了哦。”

“那就吃饭吧。”我把排骨夹回给她，温和地说，“不要减肥，你已经很好看了，减肥对身体不好。”

“是吗？”她喜笑颜开，但很快又愁眉苦脸地问我，“你说，我妈会不会恨我？”

“怎么会？”我说，“你是她最宝贝的女儿。”

“那你会不会恨我？”她问。

“会。”我说，“如果你再不好好吃饭。”

她嘻嘻笑，差不多把半张脸都埋到餐盘里去。她咽下一大口饭，把脸抬起来，很认真很认真地对我说：“以后，我都不要再犯傻了，你监督我哦。”

“给钱不？”我问她。

“给。”她说，“一天一块。月结的话，八折。”说完，她自己笑得喷饭。

饭后我们走出食堂，迎面看到了斯嘉丽。她心事重重地抱着饭盆，像一个幽灵一样紧紧地跟着一个男生，对我们俩完全视若无睹。

“她又有新目标了吗？”我盯着她的背影看了许久，问于池子。

“大概吧！”她酸酸地说，“其实斯嘉丽很可怜的，你不要看不起她。”

我心想，不敢。从今往后，我再也不敢小瞧任何一个女生了。不知，这算不算我成熟的例证之一呢？

那天下午的作文课，我终于又看到了小耳朵老师。

她穿着跟平时一样的衣服，迈着和平时一样寻常的步子。但我却看得出，她有一些不一样。因为经过前一夜，我和她之间一定变得有些不一样了。

至少，我知道了关于左耳的秘密，而这个秘密，估计班上很多人都不会知道。这应该可以算作我如滔滔江河般的失落里，最闪亮的一个安慰吧。

“中午都午睡了吗？”她笑着关心大家，好像她刚和我们分别不到十分钟。

“睡啦。”大家齐声答。而她好像很注意地看了我一眼，在她坦然如水的笑容中，我知道自己已经得到了她的原谅。

多么好。

上课铃响。她忽然将手中的粉笔放在粉笔盒中，沉吟道：“我有一个消息要宣布。”

我的心提到嗓子眼。我有预感，真正的秘密好像就要被揭开了。

“对不起大家，教完这个学期，我要放一个更长的假，到澳大利亚去。到时候我会给你们寄明信片。”

教室里炸开了锅，很多多事的人提问：

“老师，你是一个人去吗？”

“小耳朵老师，澳大利亚黄金海滩可以裸泳哦。”

“老师，明信片上不要写英文啊！会看不懂的！”

……

她一直微笑不语。

“老师是去旅行结婚吧？！”前排有白痴恍然大悟地尖叫，声音听上去居然还惊喜莫名。

没想到她居然点头，然后说：“是。”

全班沸腾了。我的太阳穴忽然涨得快爆炸了，四周好不容易安静下来，我听到她说：“我要告诉大家的正是这个消息——老师，就要结婚了。这个消息，我想还是跟大家分享比较好，你们说是不是呢？”

在如同潮水般的掌声里，她向我们大家鞠躬，表示感谢。

就在这时，又有人问：“那老师，放完假你还会回来吗？”

她居然想了想，才说：“应该会回来吧。”

应该，谁来告诉我，这个词包含的到底是什么意思？

“好啦，不浪费大家的时间了。我要开始布置今天的作文题目了。”说完，她举起右手，在黑板上写下两个巨大的字：秘密。

写完后，她看向我的方向，微笑着说：“希望有的同学，不会觉得这个题目太土。”

我却在第一时间注意到她把玩着粉笔擦的另一只手上的那枚戒指，银色的钻戒，初看不显眼，稍微转动，流光溢彩。

那天作文课结束之后，黑板上多了一行醒目的粉笔字：“小耳朵老师，请留步！”

班长神情肃穆地站在讲台上，发表了一段慷慨激昂的演讲：

“同学们，这个活动的本意是给小耳朵老师的男朋友写信，请他把小耳朵老师‘借’给我们两年半，让她把我们领到高中毕业，再和我们告别。小耳朵老师刚教我们不到一个学期，就这样离开，对我们来说实在太不公平了！所以，请大家一定要献计献策，行动起来，将你们的好言相劝写成小纸条。我们今天下午就当着小耳朵老师的面，交给她的男朋友。相信他一定会被我们感动的！”

“考虑到我们班最舍不得小耳朵老师的就是段柏文同学，我们提议，这些纸条，就由段柏文交给李老师男朋友，大家说好不好啊？”于池子又开始闹事了。

“好！”

没想到，全班竟响起震耳欲聋般的齐刷刷的叫声。

我怀疑这是一出有预谋的闹剧。

于池子嚼着干脆面，用胳膊肘顶顶我，悄悄地说：“这下全班都挺你了，小耳朵老师可能真的走不了了喔。”

我用力拍了一下桌子，说：“我给就我给！”

终于熬到晚自习，我抱着纸盒来到校门口。

路虎车停在那里等候，在黄昏里，像一条搁浅的大鱼。

我隔着铁栅栏围成的校门喊他：“张漾！”

他从车上下来，对门卫耳语了几句，铁栅栏自动打开一道缝，够我出门。

我摸摸鼻子，将纸条盒交给他，说：“这是同学们让我转交给你的小纸条。大家都写得很认真，你要好好看。”

“也有你的吗？”他笑着，晃着箱子问我。

“当然。”我说。

我想任何人都不会相信，在那一整箱深情意浓希望留住她的纸条里，我的那一张是最唯一、最与众不同的。我这样写道：

带她走。

给她幸福。

永远爱着她。

让我永远嫉妒你。

我的署名是：吧啦。

我想她一定知道这是我。也许会笑我调皮，也许只当成一个笑话。但没有关系。其实就算她知道我的秘密，又何妨呢？

新年过后，我将要满十八岁。

在我的成人礼上，我会化作她当年喜爱的那个白衣少年，因为已经把心事全部托付给她，所以可以干干净净、坦坦荡荡、不带一丝眷恋地站在新的土地上，等待更多未知的种子，在我的心里生根发芽，瓜熟蒂落，迎来又一轮日出的洗礼。

我是如此期待和勇敢，只因为我知道——

所有秘密的结果，无非都是一个新的开始。

——下部 于池子——

_01

如果回忆会说话，我想它最想对我说的话就是：傻X。

大饼妞，你是一个傻X。这是在高二那个秋高气爽的时节，我被分到理科二班后，写在我那荒凉博客上的某一句话。

我一向自视甚低。自从我的心里开出那朵名曰“自我”的花之后，它就一直只是当初的样子，只有当初那么高，从没见过阳光。长久以来，我喜欢并且习惯用别人的眼光来审视我自己，不管我做什么样的事情，都会先猜，他会不会喜欢，他会不会说好，他会不会很厌烦，他会不会没感觉……

我忘记那朵花很久。

当我想起来的时候，才发现我已经十七岁了。而那朵花奄奄一息，头差点低进尘埃里去。

从七岁的时候，我就开始盼十七岁，因为邻居十七岁的姐姐穿的裙子上没有卡通人物的画像，不需要在左胸前别一条装模作样的花手绢。她在脚指甲上涂闪闪的蓝色指甲油，拿着电话冲着喜欢她的男生怒吼：“你给老娘滚得越远越好！”吼完了，还双手叉腰扭着身子问我，“于池子，姐姐好看不好看吗？”

“好看死了。”我崇拜地答。

“好看就是好看，不能说死了。”邻家姐姐弯下腰对我谆谆教导，“记住，不到万不得已，千万千万不要说‘死’这个字，一点都不吉利！”

“什么叫不吉利？”我问她。

“你真是笨死了！”她骂我。

“可是你刚刚也说‘死’字了哦。”我提醒她。

她转转眼珠，狡猾地说：“姐姐要去约会了，不跟你瞎扯了。”

她离开以后，我躲到我家的卫生间，用彩笔涂我的脚指甲，脚丫子被我弄得乱七八糟，我却在无比憧憬地想，快点快点长到那么大吧，可以随心所欲教训比自己小的孩子，可以称自己“老娘”，可以说话不算数，还可以——约会。

最后这个关键词，其实我当时还不能好好领会它的意思，我所能领会的就是，这一定是一个神秘的词汇。因为当它从邻家姐姐的嘴里轻轻吐出来之后，我以为她在念什么咒语，不然她的耳朵为什么那么红，眼睛为什么那么亮，连头发也比平时看上去有光泽。

约会，约会。

事实证明，我等这一刻等得实在是太久了。无数的蠢蠢欲动长时间停留在可耻的臆想期，一直到了十七岁，我才努力扶正心中赢弱的小花朵，打算好好玩一次真格的。

我要约会的那个人，有个超拉风的名字——横刀。

其实横刀出现的时候，我正在读一本超级脑残的书——《少女恋爱养成记》，是我花五块钱在我家附近的报亭买的。

上面写着：失恋圣经必胜法门——由一个人替代另一个人，是失恋的最佳疗伤方式。推荐指数：五颗星。

正值暑假，我决定以那本书作为恋爱蓝本，开始寻找可替代的“猎物”。

横刀是某文学网站的写手，他擅长的是穿越文。他的文风特点是：粉丝不多，更新奇快。我生平最鄙视穿越文，总觉得让一个现代人拿着一把手枪冲到古代是一件非常傻的事。所以，我就天天跑到他的博客上骂他。骂得我自己都觉得过分了，正想收手的时候，他却凑上来问：“可不可以求个QQ？”

所谓犯贱，大抵如此。

隔着网络，我的幽默感得到最大限度的发挥，毒舌功夫也日渐长进。哪知道一来二去，他竟然喜欢上我了，喜欢上我后，他就当机立断向我表白了。表白完之后，他理所当然希望和我有进一步的发展。

我的“猎物”手到擒来，本该高兴，没想到事情却发展到了不可控制的地步。他不怕传说中的见光死，非要见面不可！

我试图让别人替我顶包，可惜失败了。

因为横刀对我说：“看你第一眼便知道是你，你长得和你的文笔一模一样！”

什么鬼话!

既然他灵性十足，我就姑且继续实践那条必胜法门。况且，我太想知道，在现实生活中，若一个男生喜欢上像我这样的女生，他到底会是什么样子。会不会卑微？会不会脑残？会不会把我当成手心最大的宝？会不会像阿牛一样穿着沙滩裤，抱着木吉他，胸前挂着一串美丽的野花，光着脚丫，对着我痴情地唱：“啦啦啦，啦啦啦，啦啦啦，我要你陪着我，看着那海龟水中游，慢慢地走在沙滩上，数着浪花一朵朵……”

而我，会不会跟当年向往的十七岁邻家姐姐那样，受到爱情咒语的临幸，也能在刹那变得不那么寻常？

至于那个“他”到底姓横还是姓竖，是不是文学青年，身高几何，都不重要。我只是需要一场甜蜜的约会，为了那朵小花不会最终埋进泥土里枯萎，我要卖力地灌溉。

就这样简单。

我和横刀的约会地点是我定的——西落桥的河边。

这是我们这个小城唯一的一条河，小河不宽，也不清澈，跟城里那么多谈情说爱的好地方相比，这里鲜有人光临。我选择这里的原因是，这条河对我有特殊的意义。至于这意义到底在哪里，对不起，这是我的秘密，我不想告诉任何人。

所以，当横刀出现在我面前，缩着脖子问我为什么要选在个鬼地方的时候，我只是淡淡地反问了一句：“难道不可以吗？”

“谁说不可以谁说不可以！”他搓着手一连串地答。

我把下巴对着那个有点脏的木椅子抬一抬，他已经知趣地脱下校服，把它铺平在椅子上，请我入座了。

那一瞬间，我承认有点爽。像压缩饼干刚刚下肚时的那一分钟，虽然不知道等下会不会撑得太饱，但有迅速的满足还是让我身心舒畅。只可惜这个爽来得快去得也快，当横刀挨着我坐下来的时候，我突然感觉到体内有种奇怪的气膨胀开来，好像要把我整个人撑爆了。本着既来之则安之就算是玩也不能让别人看出真相的态度，我拼尽全身的力气才把自己按住，没跳起来跑掉。

“米粒儿……”

他深情款款的呼叫被我拦腰砍断：“可不可以不要这样子叫我？我姓于，叫于池子。”

“我还是习惯了，嘿嘿。”他说，“以前在网上都这样叫你，现在叫大名，反而不太习惯。”

“你跟你女朋友分手了吗？”我问他。

“我发誓她不是我女朋友。”他申辩说，“不过那一次的事，我真是好内疚，你还是忘掉比较好。”

“哦。”我说。

如果不是错觉，他又坐得离我近了一点，而且直觉告诉我，再过一秒钟，他的爪子就要放到我肩上来了。我觉得我心跳加速，眼睛发花，神经过敏……还好，事情并没有像我想象中那样发生，他只是昂起脖子，轻声说了一句：“要变天了。”

他哪里知道我的心都快起海啸了，一不小心，就是灾难性的灭亡。

我不喜欢他是肯定的，可我到底在干什么？

就在我认真思考这个很严肃的问题的时候，他又说道："可不可以问你一个问题？你和那个段……"

我用手势当机立断制止了他。

我不想听到那个名字，真的不想。

"好吧，我不问了。"他白痴地说，"我相信你。"

"你相信我什么呢？"我啼笑皆非。

"相信你是清白的啊。"他说，"都已经这样了，我就不应该在乎那些闲言碎语。"

我还没问他都已经怎么样了，他忽然从口袋里掏出一个东西，死死地捂在胸口，大声说道："给你带礼物了，猜猜是什么！"

"什么？"我努力调节气氛，"千万不要是什么整蛊玩具。"

"怎么会啊！"我没想到他居然有点生气，脸上泛起一点红晕，他在我面前摊开手掌，说，"送给你——"

是两条嘴对嘴的接吻鱼的挂坠。

其中一条的尾巴有点歪到天上去，另外一条的眼睛处本该有一个黑色的小点，却少了一块漆，于是那只鱼只能对我翻着白眼。

连我这么不考究的人，都看出它做工低劣，我要是真戴着它出门，再不幸被某人碰到，估计会被损得连家门都找不着。

因为太害怕他接下来会开口说"我来替你戴上"之类的宣言，权宜之计，我只能捂着那条鱼，认命地说："好吧，我收下。"

就在我收过那条项链的时候，他却忽然摇头叹息，而且是一声长叹，紧接着说："米粒儿，你能感受到我的体温不？感受到对方的体温，是恋爱的第一步。这对咱俩的未来有好处。"

海啸终于来了——那是夸张的说法。但我手心确实在发麻，联想到此刻我手中的吊坠，刚刚曾在他的胸口待过，我恨不得把它捏碎才好。

我承认我错了，错得彻底。原来并不是所有的文学青年，都写一手漂亮的钢笔字，喜欢抬起头凝视窗外；也并不是所有的文学青年，都有一双忧伤的眼睛，随便讲讲冷笑话都能温暖人心的。

原来这个世界，真的没有谁可以代替谁。

就算是游戏，也是绝对不可以的吧。

罢了罢了，就在我决定跑掉的时候，好戏却才刚刚开始，我这边充满悔意地把那个项链揣进口袋，他那边又变戏法似的从他随身带的书包里掏出一个纸盒来。

“又是什么？！”我疑惑地看着他。

他撕开包装，露出围巾的一角。

我吓得连忙拒绝道：“这个绝对不行！”

我早知道，收围巾是要命的行为，表示答应一辈子被他“围”住。

“要的要的，是我亲手织的。冬天用得着，现在你不用围……”他把它硬塞到我手里，像朗诵诗歌又像发誓一样对我说道，“只为你而织，温暖你一生。”

那天，他一共送了我七样礼物。

翻白眼的鱼挂坠，自己织的桃红色围巾，一盒金嗓子喉宝，一把纸扇子，一个手电筒，一个防狼喷雾，一打超市优惠券。

最拉风的当属防狼喷雾，他说：“我从我表姐那儿抢的。女孩子嘛，安全第一！”

他还说，他山西老家有风俗，第一次见女朋友，要送足七件礼，以后才能和和美美。

我没有见过比他更像老人家的九零后，他就像在煤坑里睡了几百年，刚刚来到这个世界上，正睁着眼睛环顾四周的时候，我一头撞进他的视线里。

我没敢拒绝他，因为面前就是冰冷的河水，如果他充满悲伤上前几步纵身跳进去，我铁定是今晚新闻节目的第一女主角。

我可不敢冒这个险，一来为我，二来为我妈。

所以最后，我只能带着这七样令我啼笑皆非的礼物，和他告别。而他执意要送我回家以表男子汉气概，我只能谎称要去接妈妈下班，逃之夭夭。

瞧，这就是我的人生第一场约会，像场滑稽戏，而说穿了，导演是我自己。

那天我弄明白一件事，我是个天生拙劣的导演，从七岁那年偷偷躲进卫生间用彩笔涂脚指甲那一刻开始，我就把我自己的人生导得一塌糊涂面目全非却还沾沾自喜浑然不觉。

给自己一记耳光，OK?

如果不够响亮，就再来一记。

_02

在很多人眼里，我和斯嘉丽是好朋友。

天中里充满各种奇葩式的女生，而斯嘉丽走的是臭美加白痴的路线。除了装腔作势和研究美容书，她没有别的爱好。而我，是个典型的草根，草根于池子巴结上校花斯嘉丽，我知道大家会怎么想。但我不在乎，因为我太知道，斯嘉丽愿意跟我好的原因，而单单这一个原因，就足矣让她在我面前永远抬不起头来。

私下里，我叫斯嘉丽“斯斯公主”，而她则称呼我“元气小姐”。我们看上去相亲相爱，有空的时候，就会粘在一起。可是，友谊的真正分量究竟在我们俩处心积虑的生活中占多大的比重，我们谁也说不清楚。

“女生之间的好朋友，就是把耳朵借给你，听你说出所有的秘密，并最后把它公之于众的人。”这是我不经意在网上瞄到的一句话。太经典，简直说到我心里去。所以，为了和斯嘉丽强大的美貌和身材组建的小宇宙相抗衡，不说赢，至少跟她打个平手吧，除了她强加给我的莫须有的“元气”，我还得靠一点点智慧——

说白了，就是心机。所以，我必须学会藏得住秘密。而秘密的最表面，就是谎言。我对斯嘉丽撒的第一个谎就是：“段柏文是我的男朋友。”

“那他亲过你吗？”斯嘉丽不甘心地说，“要亲过嘴唇的，才算正式。”

我只是微笑。

撒谎到半路，要想不穿帮，微笑绝对是最好的武器，点到为止，欲说还休。对方不管怎么猜都行，最重要的是，你自己什么都没说，落不下任何把柄。

其实我并不想把自己搞得如此复杂，我也曾经干净透明，心里容不下一粒细砂。可谁叫在成长这条路上，想要披荆斩棘乘风破浪，就非得有点手段不可呢。

我真的是被逼无奈。

有时候我忍不住想，如果当年我妈和我一样，在暗恋这桩事情上，也用一用心机的话，她会不会多靠近幸福一点点？

我确定我妈不幸福。

每个周末回家，看到她在厨房里孤零零地忙碌，我都会这么想。特别是在我撞破她藏了三十二年的秘密之后，我对她的爱里就深深掺进了同情的成分。事实证明，她绞尽脑汁变着花样做那么多好吃的菜，除了把我培养成一个大胃婆之外，并没有起到任何别的功效。这个比所有九零后都要“脑残”的六零后，她的秘密不仅没有开花结果，反而彻底变成一个巨大的肿瘤。良性恶性未可琢磨，因此只能无望地等待。

我发誓，这件事情如果同样在我身上发生，我一定在这个肿瘤上放一个巨大的炸弹，让我和我的秘密一起死无葬身之地。

所以，我必须做点什么。

某个黄昏，我从莫文蔚的歌里得到启发："也许放弃，才能靠近你，不再见你，你才会把我想起……"

于是为了试验"距离才是美"的理论，我做了如下牺牲：选择理科班，关掉手机，放弃到食堂吃饭，绝不在校园里游荡。我把自己藏到最不显眼的地方，只是想试探一下，我到底可以离开他多长时间。

可是，即使这样，我等待的"美"还是一点儿也没看到。

我不在他身边的日子，他甚至连个问候的短信都没有，有时候我装模作样地从天台上走过，想看看他是否会出现在走廊，也在那个瞬间抬头望见我，但是这种几率目前为零。倒是好几次撞见横刀对我来个狂乱的眼神，吓得我慌忙低头逃跑。

我想念他四十五度低头的侧脸，想念他写钢笔字时的最认真的最后一笔，想念他想问题时总是用尺子轻轻敲击太阳穴，想念他发短信时两个圆圆的可爱的大拇指，想念他身上若有似无的青草味——医学研究证明，这正是令爱情产生的原因：费洛蒙！

他的费洛蒙很对我的嗅觉，可是我的费洛蒙却出了问题。不然他为什么总是说："于池子，什么怪味？"却从来没发现，我一直在为了他，试用各种香水呢？！

我没钱买香水，那些香水，均来自斯嘉丽。

她有一抽屉的香水，一个试衣间，一个超豪华的浴缸，一堆长得怪头怪脑的高端玩具。周末，她邀请我到她家做客，她在房间里试了一百套衣服都不满意以后，费力地对我喊出："我讨厌我现在的生活！"

当时我心里的潜台词是：我讨厌你！

她的衣服真的太多了，但我从来都没见她在学校里穿过。我很想问她这样用力打扮到底是要去见谁，可是我没有问出口，因为我怕答案是我害怕或者不喜欢的。我只是试闻着她的香水，想象他会喜欢哪一款。

"他喜欢这款。"斯嘉丽好像读懂我的心，把一个黑色的小瓶子递到我面前来，对我说，"男款的，你送给他，算圣诞礼物。"

"这算什么！"我当然拒绝。

"咱俩谁跟谁呀，我买的是女款，买一送一，我又没男朋友，留这里也是浪费。拿着！"斯嘉丽一面硬把香水瓶递给我，一面凑近我，看着我脸上的皮肤，大惊小怪地说，"怎么起了小疹子？"

我伸手去摸，她一把用力打掉我的手，说："不能用手摸脸，这是最坏的习惯。来吧，我给你做个面膜，救个急。"

我躺在她家的沙发上，任由她往我脸上贴冰凉的怪玩意儿。她热情为我忙乎的时候，其实我就一直在想这瓶香水我是无论如何都不会收的，她可真是有心计，不露痕迹和他摇身一变情侣款，我还欠她一个人情，想得倒美！

就在我眼睛被挡上，嘴也不能好好说话的时候，斯嘉丽对我说道："元气小姐，我有一个秘密要告诉你。"

"唔。"我含糊不清地应着。

"你可要稳住，但真不能瞒你，不然太不义气。"

"说。"

"你家老段，貌似知道你劈腿的事了。"

虽然早猜到她会这么说，但我等这一刻还是等得太久了。

我把面膜揭开一个角，装作紧张地问她："怎么呢？"

"因为……"她帮我把面膜重新罩回去，吞吞吐吐地说，"其实，接下来这个才是真正的秘密，你家老段，好像也在劈腿了。而且那个人好像还不是普通人，就是高三那个韩卡卡，文学社社长，都出过好几本书了。现在这个时间，他俩应该在仙踪林约会。"

韩卡卡并不新鲜，我早就知道了。她个子很小，很瘦。高三了看上去像个初一的破小孩，因此人送外号：天山韩姥。我见过她在学生大会上发言，我们班有一大半的人，都觉得她长得和我们原来的班主任小耳朵老师有九分神似！

这个没出息的东西！

"哦，他跟我说过的。"尽管心里很不舒服，我还是装作风平浪静宽宏大量地答，"他们不过是谈校刊改版的事。"

"你也真能被骗，谈校刊为啥不在学校，明明就是借口！而且，韩卡卡最近没事就来我们班找他。你说，就天中一个小小文学社，犯得着他们如此日理万机吗？"

我坐了起来，直接质问斯嘉丽："是你告诉他横刀的事情了吗？这件事我只告诉过你一个人。"

“绝不是我！”斯嘉丽举手发誓说，“你可别忘了，这里面还有个当事人横刀，你这样错怪我，就不怕伤了我的心吗？”

“哦，对不起。”我重新倒下去。

“你要不要去仙踪林碰个巧什么的？”斯嘉丽唯恐天下不乱地建议，“我可以陪你。”

“要去我也自己去。”她想当场看我的笑话，门儿都没有。

“那好。”斯嘉丽说，“我可以在不远处接应你，你随时给我来电。”

“作家会打人吗？”我问斯嘉丽。

她显然比我更不了解作家，只能茫然地摇摇头。

“就算会打，也不一定打得过我的。”我说。

斯嘉丽一阵夸张地乱笑，笑完后她还是劝我：“公共场合要冷静，人家是名人，要是被狗仔拍下来，你也麻烦大哦。”

“士可杀，不可辱！”我一把扯掉那该死的面膜，和斯嘉丽一起走出她家的大门。这时已经是十二月，圣诞的气氛渐渐浓烈。街道两旁的树上装饰了一闪一闪的小霓虹灯，商场的玻璃窗上喷着五颜六色的祝福话语，不知道哪里挂的铃铛，风一吹，就呼啦啦直响。到处都是热热闹闹的，我的心却几乎碎得像纸屑。

三年，这是我自己定下的期限。

那时我们应该是大二。到大学里，也已有足够的时间选择过一轮，他也成熟到分得清好坏与否适合与否。如果到那时，依然没有任何指望，我发誓，我绝不会再浪费一分一秒的时间。我会彻底忘掉过去，开始属于我的新生活。

但在这三年里，我要看清每一个程咬金的模样，并与她们死磕到底。

我穿着我妈给我买的长风衣，把自己从头到脚裹起来，还是觉得冷。斯嘉丽却还穿着低领毛衣，执着地秀她的锁骨。一个心形的吊坠贴在两截锁骨的中央，像炯炯有神的第三只眼睛似的。我们来到仙踪林附近，我让她在对面的一个服装店里等我，吩咐她不到万不得已千万不要露面。然后我一个人过了马路，推开了仙踪林的大门。

当我走进门以后，我在门边停了五秒钟，然后，我把帽子拉严实，低头，左拐，躲进了女厕所。

_03

如同斯嘉丽死也不会承认她喜欢段柏文。

我死也不会承认——段柏文不喜欢我。

在一向高高在上的斯嘉丽面前，这是我唯一致胜的法宝。

“我还是觉得你太宠他了，男生其实都不喜欢妈妈型的，他们很贱，对他们越厉害，他们越受用。”

“这样啊。”我装出虚心学习的样子。但私底下我认为斯嘉丽所说的话都是放屁。她有多了解男生呢？如果她真的那么了解男生，以她的身材相貌，完全可以成为一个万人迷，而不是现在这么可怜，只有和我争风吃醋的份。

斯嘉丽总是自以为她有很多的秘密。但其实，她所有的秘密都在我面前一览无余。我没见过比她活得更累的女生，举个简单的例子，她连博客都写两个，一个官方的，叫做“下一站长大”，大家都可以看，里面除了她的大头贴和参加什么cosplay大赛的露大腿的照片，全都是些嗲兮兮的冠冕堂皇的话。另一个则是完全私人的，言语放肆，充斥着她个性中最黑暗的成分，堪称典型九零后问题少女。

我并不是偷窥狂，发现斯嘉丽的私人博客纯属意外。因为她总是在自己的两个博客间串来串去，而我顺着访客链接不小心就跟着去了。比起官方博客来，她的私人博客显然更对我的胃口，去过第一次后我就不由自主地常去，原因很简单，在那里，我可以了解到她许多的秘密——

首先标题就很闪闪亮：杀死所有萝莉。她非常不喜欢天中那些所谓的纯情女生（她不知道其实她自己就是），并总是说之所以喜欢我就是因为我不是咧嘴大笑就是放声大哭，像个傻姑婆，但是真实极了（当然这个评语我还是很接受的）。然后是博客的背景音乐，一个普通话极不标准的女声唱着一首歌词极度狗血的歌，不过倒是很符合她的智商：

一只想变成橘子的苹果

她以为

这样可以变得丰满一些性感一些

这样可以去电脑公司上班

她以为

这样可以变得酸酸的不被别人吃掉她

这么笨的苹果，我从来没有见过

这么笨的苹果，我从来没有见过

……

最最搞笑的，当属她的日志，这让我有足够的理由相信，她考试的时候作文从来都拿不到高分。

不信你看：

9/9/2009

想起了他

想起了他

想起了他

想起了他

想起了他

想起了他……

想起了他出操时站在我后面

偷偷拉我的小辫

那动作钝钝地扎穿了我的心

于是我需要打破伤风针了

10/11/2009

他终于没那么讨厌我了

我在图书馆给他传了一张纸条

他也回了我一张

我传了什么

是个秘密

他的回答可以公布：

“偏偏喜欢你。”

我藏起了那张小纸条

11/11/2009

霓虹闪烁

非此即彼

谁选择在单身节寻欢作乐

谁就被寂寞所选择

成为傀儡一个

夜太黑

双面娇娃闪闪闪

几个月来，我越看这些无厘头的日志，就越想把自己砍成八块送给我妈做成一道菜。

我无法接受所有关于他的信息都来自于别人，特别是来自于斯嘉丽。而且，是以这种欲说还休的方式。我要命地想着，那张“偏偏喜欢你”的纸条被她藏在哪里，到底是谁写的，甚至有次到她宿舍造访，趁她上厕所时，翻到她的小床底下去找过。可是一无所获，还被她发现了。我只好说是隐形眼镜掉了，才免掉她的疑心。

说到疑心，我对斯嘉丽本人的疑心更大：我疑心她根本就是醉翁之意不在酒，想要偷偷和段柏文暗渡陈仓。不然她为何毫不犹豫要选文科，不然为什么在分班那天，在看过那长长的分班名单，当发现她的名字就列在段柏文的名字之下时，她的眼睛里就像被谁植入了两个硕大的灯泡一般亮了起来呢？

我心知肚明，却也只能打碎牙齿含血吞。

作为报复，我常常跟斯嘉丽编撰属于我和段柏文的故事，有情节，有对话，有冲突。从这方面来讲，我认为我绝不输给某少女作家韩卡卡同学。最重要的是，斯斯公主真的是个绝好的听众，表情、情绪都会随着我的讲述高低起伏。我异常享受她吃醋的样子，享受她一面心滴着血一面无比羡慕地对我说："搞得像饶雪漫的小说一样哦。"

"爱情就是这样的嘛，千篇一律。"我无所谓地答。

我决定把我约会横刀的事告诉斯嘉丽，而且加上了一个差点被拖去开房间的劲爆小细节。按我对斯嘉丽的了解，她没有不去告密的可能，我甚至连台词都为她想好了——段柏文，我头都想破了，还是决定告诉你这件事，我个人认为，于池子这一次是玩得过分了一点！

从一开始，我就希望她会跟他告密，希望他会着急，或者愤怒，认定我不争气，滑向堕落的边缘，甚至为我拍案而起——

可是某天，段柏文他们班的队伍从我们班前面集体跑步而过。就在我抬头的一瞬间，就瞟到了段柏文正好排在斯嘉丽的后面，而她的小辫就在他的脸前面左右晃动。我想起那篇诡异的日志，全身都冻成了一座冰雕。

看来可恶的事实是，他滑得比我还要更深一些，哪里顾得上伸手来拉我。不管那个人是韩卡卡，还是斯嘉丽，或者是另一个我压根不知道的陌生女子。

有女人缘就可以乱来的吗？真过分！

我在仙踪林的女厕所里待了三分钟，终究没有勇气去参观“约会现场”，然后我原路返回，像个小偷一样推开门走了出去。隔着一条街我就清楚地看到斯嘉丽从对面小店的玻璃窗里射过来的炯炯有神的偷窥的双眼。我三步并作两步跑到她身边，她轻喘着气问我：“你怎么一个人出来了？这么快？搞定没？他有没有认错，有没有悔过？”

“算了。”我眼眶红红地说，“这种事我觉得还是装傻比较好。”

“不可以。我不能看着你这样被欺负！”斯嘉丽拉着我的手，断然地说，“走，我陪你去，仙踪林又不是他家开的，我们走累了去喝杯果汁难道不行吗？”

“还是不要了。”我挣脱她说。

“必须去！”她铁了心，重新抓住我的手，非要看着我出丑。

“我都说不要啦！”我甩开她。

“于池子，我告诉你，你要真这么不在乎他，我就去追他了！”这并不是斯嘉丽第一次这么跟我说，但每次说完后，她会加上下半句：“开玩笑，我可不喜欢那么精瘦精瘦的男生。”

我正等着她的下半句呢，斯嘉丽忽然看着街对面，两眼放光地尖叫起来：“看，我没说错吧。他们出来了，出来了！”

我顺着斯嘉丽的手指看过去，就看到了他。

我有多长时间没好好看他一眼了呢？他好像又长高了，显得更瘦了。他和那个我从没见过的传说中的韩卡卡一起走出来，韩卡卡真的好瘦好小，风一吹就倒似的。从我这个角度看过去，她长得真的和某人极像。

“走！”斯嘉丽拖我一把，“跟上！看他们要搞什么鬼名堂！”

说起来，这并不是我第一次当狗仔。他死都不会知道，高一那年我也当过一次。那一次，他跟踪小耳朵老师，而我跟踪了他。那可能是我一辈子走的最远的路了吧，脚底板都疼死了才到达目的地——西落桥的小河边，他躲在树后的时候，我躲在另一棵树后。我看到他替她撑伞，没有嫉妒，反而心疼得红了眼眶。如果我真是那种可以不顾一切冲到事发现场的人，或许我早就表露心迹了，而绝不会在他苦苦暗恋的那段日子里，像个白痴似的搜集所有和小耳朵老师有关的资料送给他，只希望能替他缓解相思之苦。

因为我太明白个中滋味，酸甜苦辣，真是不说也罢。

419路公交车站台。他们先停下了脚步，斯嘉丽带着我踮着脚一阵小跑，也很快在站台站定。他并没有像我想象中那样牵她的手，他们甚至都没有眼神的交流，看上去像完全不认识。这让我的心更加的灰败，因为越是这样，他俩越是有谈恋爱的嫌疑——在天中，这是人所共知的常识。

要躲是不可能了。

“段柏文！”斯嘉丽一面扯着我，一面已经扯着嗓子在喊他，充满力量地，居心叵测地，喊他。

只能随机应变了。

我轻轻咳嗽了一声，抬起头勇敢看他。

他穿着一件我从来没见过的浅绿色的大毛衣，还围了一条乳白色的围巾，完全不像他了，倒像个装腔作势的男模特。我真讨厌他穿成这样，估计是韩卡卡喜欢的风格吧。于是在他转过身看我们的一瞬间，我对他丢过去一个白眼。

这个无法自控的表情让我一开始就落了下风，因为他身边那个娇小的“名人”只是微微地笑着，姿态明显比我高出一百倍。当我意识到这一点，已经来不及了，只好任脸僵成木偶。

段柏文说：“是你们啊！”声音何其失望，让我恨不得融化成一滩水在太阳光下蒸干算了。

他希望是谁?

远在北京的小耳朵老师吗？早知道他旧情难忘，却没想到他会犯贱到如此地步。

斯嘉丽使劲捏了一把我的手，这是在示意我可以上了。但是只有我知道，我上不了。倒是他身边的那个天山韩姥，眨巴着眼睛，微笑着，用无比温柔的语气跟我们打招呼：“你们好。”

“卡卡姐好。”斯嘉丽向她弯腰致敬，卑躬屈膝地快要了我的命。

“你去哪里？”他俯下身问我。

“不要你管。”我当着斯嘉丽和天山韩姥的面跟他发大小姐脾气。

“受谁气了？”他探询地问。

就在这时，一辆419路车迎面而来。我知道这不是他们三个要上的车，我抓紧这个机会，跳上了公交车，说时迟那时快，我投进一枚硬币，公交车的门在我的身后关上了。

就这样丢下了他们三个人。

只有这个方法可以救得了我那薄而脆且不值半文钱的自尊吧。

离开他们，离开所有的人，离开所有的一切，去我自己想去的地方。因为这场戏要是再演下去已无任何可能。别说失去当主角的欲望，就算跑龙套，我都觉得太累。

可是我没想到的是，刚找到座位坐下，才喘几口气，手机就贴着我的口袋震动起来。

手伸进口袋里，首先摸到的是那个黑色小瓶装的香水。那个该死的斯小妞，什么时候把它放进去的？

我丢下香水掏出电话，那一霎差点落下泪。

是他。

这是近四个月以来，他第一次主动找我。或者说，这是四个月以来，我们的第一通电话。我对这曾经有过无数设想，却不想是在此刻此情况下。

我为我没出息的激动而倍感耻辱。最重要的是，我拼尽了全身力气仍然没法做到不去接这个电话，深吸一口气，按下接听键。电话那头，他的声音依然是那样不紧不慢：“晚饭叫你妈多做点，我馋死了。”

_ 04

斯嘉丽是那个叫做“杀死所有萝莉”的游戏网站的元老之一。

她们的口号是“左手纯白，右手炭黑”，白天以纯洁的高中生面目示人，到了夜晚，就是诡计多端、放纵自己的夜之幽灵，她们只收纳最具有潜力和智能的女生成为会员。加入会员之后，可以免费参加她们定期举办的种种活动，而这些活动的目的则是为了培养一批超级厉害的双面少女，最终可以通吃所有口味的男生。这是时下最流行最火爆的潮女集中营，比李宇春的粉丝团队还要强大一百倍。

她也曾推荐我加入成为其中的一分子。学业紧张，生活无聊，我本为之蠢蠢欲动，但是在斯嘉丽为我量身定做的A计划中败下阵来，未能被组织成功筛选。

那个A计划的内容，就是我要看着别的女生和我喜欢的男生有肌肤之亲，而做到眼不红心不跳，不为所动。

计划在我惨绝人寰的尖叫声中结束。

斯嘉丽气愤地宣布我被淘汰了。可我却一点也不觉得可惜，其实，我最不想听到的只是他的那一句：不关我的事。其他都很好很好，因为如果那次段柏文真的当着我的面亲了斯嘉丽，给我一个亿我也没法让自己快乐。

其实我没有宏图大志，认为自己有本事做完全不同的两个我。但是在偶尔某些时候，也有些想变成另外一种人的冲动。

就像我默默吮吸着我妈做的乌冬面，盯着段柏文闷头吃饭的脑袋时，脑袋里却一直冒着泡，想象自己像个精神病人一样跳起来，抱着他的脑袋，大胆地问他一句："你敢不敢爱上我？"

但我知道，我演不好这种戏。事情只会被我的可笑弄得更糟糕，我没法把自己的内心割裂成一个"官方"一个"私人"。我只能是平静无浪的既不萝莉也没风情的于池子，带着说不出的哀痛，静等心里的小花缓缓开放。

活该。

我吃完一碗乌冬面，端坐在那里没动。算起来，他已经很久不来我家吃饭，所以气氛稍显生疏。

我妈用筷子的另一端戳了戳我的腰——这是她的习惯动作，这个动作必然让我全身发痒，腰跟着歪得七扭八扭。但遗憾的是，这是我妈改不掉的毛病，从小她就爱这样戳我的腰，爱看我扭来扭去。

而我最大的反抗无非也就是白她一眼。

她说："吃完了还不快把碗洗洗？"

她就是这样的，从没有意识到我已经长大了，从没意识到我已经不喜欢被人挠痒痒，这会令我淑女风度尽失，会令我在最不该出丑的人面前出丑。她总是乐意把别人当成家里人，却没想过别人到底愿意不愿意，领情不领情。

“我来洗。”段柏文终于把脸从饭碗里抬了起来，飞快地收拾好桌子，进了厨房。

妈妈满意地看着他的背影。

不知道为什么，我有点嫉妒。她是在他身上找某人的痕迹吗？我承认我有点恶毒，但若不是因为这个原因，她为什么会变成现在的她呢？

我没见过比我妈更喜欢做饭的人。

我家的小小厨房几乎容不下她施展。她会做一切菜，中国菜（粤菜，川菜……），外国菜，都属于中国菜范畴甚至会雕那种只有五星级饭店里闲得没事干的厨师才会雕的无聊的胡萝卜凤凰。从我小时候到现在，她除了在外面工作就是在厨房里待着，琢磨厨艺，自己跟自己切磋得比谁都来劲。

大约十年前，她甚至写过一本美食书，书名曰：《100道称心如意家常菜》，想自费出版，结果未遂。

可惜当年没有专业人士相中我妈，替她做个外形包装，否则，也许能成就一个著名厨娘。可是自从我知道她这些菜到底是为了让谁称心如意之后，我就不那么乐意看到她忙碌的身影了。

我觉得别扭。

在我两岁的时候，我爸就死了。无数人给她介绍过无数个对象，她都拒绝了。那么多年来，我曾经一厢情愿地认为她这么做都是为了我。她不想我受后爸的罪。可是，当那个黄昏不经意翻出她那几本破本子的时候，我承认我真的被她的忍耐力征服了。什么什么“我们共同喜欢的他，从来都没有属于过我。”什么什么“我如果可以守着三十二年的暗恋不去做任何表白，结局会不会重写？”

日记我并没有看完，但我觉得我已经完全了解了真相。我简直不忍心去读那些本子里的任何一句话，更不忍心去回忆，那是我不了解的母亲，一个令我万分陌生为爱受尽委屈百转千回的女人。比起她来，我更希望一切都没有发生过。

就像这顿饭，看得出她非常高兴段某人的到来，却从不提起关于他父亲的只言片语，只是为了维护他的自尊吧。其实我骨子里又何尝不是跟她一样，滥好人，没底线。

倒是他，一面收碗一面跟我妈说：“我爸真戒酒了，好久不喝。”

“好！”我妈说。

“最近他赚了一笔，债也快还完了。他说等不是太忙了，就过来吃你做的红烧肉。”

“好！”我妈还是说。

我不想看我妈坐那里发呆，便跟着段柏文一起走进了厨房。他头也不抬地说：“这儿太挤了，你出去吧。”

我挪开点，抱着双臂压低声音说：“你到底在搞什么玩意？”

“你到底在搞什么玩意？”他故意把“你”字拖得老长，还转过头来上下打量着我，好像我有什么把柄在他手里一样。

“你这么快就把我忘了！”我刚刚说出口就后悔了，连忙补充，“这么多天都不联系，不借钱不抄作业就想不起我，是不是啊？”

“你自己忙，没时间找我，就算到我头上。”他慢悠悠地说，“什么时候才能学会讲点道理呢？”

“你胡说，我忙啥啊？”

“你忙啥你问我？”他笑着问我，可那笑容里明显有别的意味。

“哼。”我百口莫辩，气得脸都白了，只能冲上去夺他手里的碗，把水龙头转向我站的那一边的水池，开到最大。水冲到碗底溅起，溅到我的脸上和他的毛衣上，像一颗颗碎玻璃珠子。他伸出双手拢住我的胳膊，扶着我把我推出了厨房。他的力气虽不大，但是我却无法轻易挣脱。我不由自主地滑动着脚步，嘴上小声喊着：“神经病！”

可是他并不理会我，一直把我推到饭厅的门口才放开我的双手，看了我一眼，抬起手肘在我脸上胡乱擦了一下，粗粗的毛线在我脆弱的皮肤上粗暴地划了一下，生疼生疼的。

“先别闹！”他说，“等我把碗洗完。”

我委屈地走进客厅，走进卫生间，把门反锁上。

回忆刚才那个疑似拥抱的动作，我只是觉得更加惆怅而已。和那个瘦小的少女作家相比，我在他心中地位如何？从镜子里看自己的脸就知道了——鼻子那里有一块红红的，他下手这么没轻没重，根本从没把我当女生看待。

从小到大，他都没把我当女生看待。

我拧开了水龙头，好好洗了两遍脸。可是洗完这两遍脸我却发现了一件让我无比痛苦的事情，我的脸好像肿了。

一瞬间，我就发现自己变成了猪头。

我的脸肿起的原因数以万计，肿起的速度如有神助。春天的时候，逛一次公园会肿；夏天游完泳会肿；秋天吃完螃蟹会肿；冬天冷风一刮也会肿——追究起这次红肿的原因，不用想，一定是斯嘉丽的面膜！

我冲回房间就打电话找她兴师问罪。谁知道她一点儿也不关心我的脸，而是问道："段柏文在哪里？"

"在我家洗碗呢。"我说。

"不信。"斯嘉丽迟疑地说，"于池子，我开始怀疑你了，你跟我说的那些到底是不是真的？你瞧你今天的衰样！跑起来比神六还快。"

"你等着啊。"我说完，一只手捂着脸，另一只手拿着手机，趿着拖鞋跑到厨房里，扬声说道："段柏文，有人找你。"

"谁呀？"他双手是湿的，我只能踮起脚尖拿着手机放到他耳边，他"喂"了一声后，瞪眼问我："又搞什么名堂？"

我再听电话，那边已经挂了。

一开始我觉得挺爽，我要的就是这效果。但为什么很快我又觉得不安了呢？为什么斯嘉丽会知道段柏文约会的事情？为什么斯嘉丽偏偏要在这时候打这个电话？为什么接了电话又不说话要匆匆挂掉？为什么她会买那种情侣款的香水并且那么肯定他会喜欢？难道真的如她所说，是买一赠一吗？

我开始有些不安和担心，我会不会早就被别人“买一赠一”了，却还傻了吧唧地自得其乐？！

_05

毫无疑问，当你越怀疑一件事，这件事就越发像是真的。

那些天，我几乎天天都用手机上斯嘉丽的博客，希望能发现更多的蛛丝马迹。但是可惜的是，她却好几天都不更新。我曾打破自己的戒律，在午休时间假装经过他们教室门口，一眼瞄到段柏文正趴在桌上睡觉，我的心里刚宽慰了一点，就立刻看到斯嘉丽蹦蹦跳跳的身影。她端着一杯热开水，就在段柏文前面的位子上坐下。

他们是前后桌！

前后桌之所以比同桌更危险，因为和同桌交流必须挪动头部，可是对于坐在你前面的人，完全就是“1+1”的强迫性阅读，不看也得看！

我终于发现，为什么斯嘉丽每次洗个头要有一百零八道工序，把自己搞得和人体宴一样芳香；我终于知道为什么斯嘉丽那么喜欢编她的小辫，这一切，都是有原因的！

不知道是不是焦虑和睡眠不好所致，我脸上的过敏越发严重，严重到最后只能戴口罩去上课。

我的口罩上面画着一个Hello Kitty，远看过去，好像我大冬天的露着大门牙傻笑似的。我戴着这个口罩走进教室的时候，班级里为数不多的几个女生几乎都给了我一个横扫千钧的白眼，我从白眼里读出了奇装异服的意思，不过也懒得理她们。谁让我选择了一个不属于我的世界——理科班，如果在文科班，戴个口罩来上学根本不算什么，曾听说文科班有高人给自己搞了个金光闪闪的脐环都没人愿意多看她一眼呢。

算我虎落平阳被犬欺！

课间休息的时候，我收到一个鞋盒子大小的纸箱子，里面塞满了各种各样的感冒药。那盒子果真是鞋盒，上面还写着“贵人鸟鞋业”，另外还系了一根丝带，但那根丝带太矬，像喜儿的红头绳，细得都快断了。偏偏我的同桌痘痘男于飞同学的想像力超级惊人，问我：“生日蛋糕吗？”

“不。”我罩着口罩闷声闷气地答。

“你这个造型太另类，不适合在校读书的学生。”于飞看我一眼，搔了搔他那痘痘化脓变成血坑之后惨不忍睹的左脸，继续看书。

我叹口气。

如果我的同桌是他，他一定不会认为我是感冒，更不会认定是某种造型，而是会语重心长地对我说：“不想毁容的话，还是去下医院吧。”

真是没对比就没真相，不然为什么当我在他身边的时候，从没有觉出他的这些好来呢?

横刀先生继续他的雷人事业，中午的时候托他们班一女生给我送来热腾腾的小米粥外加榨菜和一张小纸条。纸条是这样写的：希望你感觉“温度”，盼早日康复!

“吃过了。”我把纸条拍到饭盒上，对那女生说。

“我只管送货，不管退货。要退自己退。”女生不知道是不是收了他的快递费，拧巴得要死，把饭盒扔到我桌上就跑掉了。

我的脸痒得实在受不了，就跟班主任请了一节课的假，准备去医院看一看。我穿着校服，戴着口罩，刚下出租车到医院门口就看到了斯嘉丽鬼鬼祟祟的身影。这个时候她来医院干什么，难道她也病了不成?

斯嘉丽那天的造型才是真的夸张呢。这么冷的天，她居然穿着一条超短黑色皮裙，薄薄的丝袜外面还罩着一双高跟皮靴。穿成这样，肯定不是从学校里出来的。她上楼梯的时候，夸张地束在头顶的一撮头发跟着一颠一颠的。我忍不住有点想笑，下意识地伸手捂脸，脸一阵又麻又痛。老实说，要不是这个菜花头，我真的认不出她。平时她在家做面膜时也会扎这种菜花头。而现在她手上拎着一大包东西，好像在医院接头的女毒贩。

就凭这身打扮和行头，我就没有道理放弃跟踪。

进入医院大厅之后，她先是拐进了女厕所。没过多久，她就换了一身行头出来，脸上的脂粉淡了一层，换上了天中的校服校裤，原先那个手提包似乎更鼓胀了一些，不用说，她深谙摇身一变的道理。我的心里某些邪恶的想法也跟着一起鼓胀起来——来医院都需要易容的人，能有什么好事？

回忆她刚刚的一身打扮，我的脑海里立刻浮现出她站在KTV包房门口对来往客人鞠躬的形象，心中嗖地冒起一团惊喜的火焰。

难不成？！她真的像天中论坛上所说的那种靠不正当交易赚钱的女生？我全身的血液都燃烧起来，无数的想象在我脑子里来来回回，让我迫不及待想知道正确答案！

可惜，稍后她去的地方并不是我以为的妇产科，而是五官科。

难不成，她要整容？！

又或者，她根本就是一个人造美女？

虽然我去过她家两次，但是我对她家的情况并不算了解，也从来都没见过她爸爸妈妈。她的家里没有任何她父母的照片，好像她是从天上平空掉下来的一样。除了她的房间，其他房间的门都神秘地关着。她也从不跟我提她的父母，如同我从不跟她提我的父母。

从这一点来说，我们成为今天这样的“疑似友人”，除了那个心照不宣的原因之外，其他也并不是一点基础都没有。

冒着被她发现的危险，我继续跟着她进了五官科的大门。只见一个穿粉红色衣服的护士拉着她进了注射室，我悄悄挨到门边，就听到护士在对她说：“还是不要做了，身体要紧。”

“不做吃什么！”她发出粗鲁的声音，简直不像平日里那个她。

我感觉自己离真相越来越近，心都要跳出来了。

“你少买点那些不实用的东西！”

“我快上课了，来不及了。”

“你还知道自己是个学生……”

“快打！废话一堆。”她打断了护士。

就在这时，走廊那边有护士走过来，我飞快地溜出五官科，跑到医院挂号大厅，站在大理石地板上拼接我脑海里的关键词：不要做了？做什么？身体要紧？做什么对身体有害？不做吃什么？她不把自己当成学生？难道她父母不养她吗？难道她做的都是见不得光的事吗？为什么她那么怕护士说下去？她和那护士又是什么关系？

我已经想到了最坏的东西。

特别是她那篇博客所写的鬼话：

夜太黑

双面娇娃闪闪闪

……

再联想到周末常常都找不到她人，那一刻，我差不多可以肯定的是，斯嘉丽，这个所谓的双面少女，某组织的得力干将，她在干着不可告人的勾当！一定是的！

如果我不拆穿她，让她在我面前再也牛不起来，让她在某人面前永远失去机会，我就不是于池子！

_06

周五，平安夜。

学校放假也比平时早，大多数同学选择了回家，也有人各自约着去好玩的地方各自精彩，而我的节目就是回家陪老妈。

放学以后，教室里只剩我一个人留下来做值日。正当我在座位上聚精会神地打包横刀送我的东西准备完璧归赵的时候，斯嘉丽如同幽灵登场，脸贴着窗玻璃，在玻璃上敲了三下。我不经意望出去，就看到她挂着两个巨大黑眼圈的眼睛，差点吓得昏过去。

“今天不能和你一起走了，我还有事。”她说，“特别来跟你说一声圣诞快乐哦。”

“哦。”我说，“什么事啊，不能等我做完值日再和我一起走吗？”我盯着她发青的眼眶看，越看心里越发毛，心里闪过很多生理卫生课上的教育片，好多疾病的表象特征……

她轻描淡写地说：“陪爸妈应酬，接待美国回来的什么亲戚，真是烦都烦死。”然后她装模作样地看了一下手表，还用手指在表上敲了敲，说：“来不及了，我得走了。对了，你圣诞节咋过啊？”

“回家陪妈妈吃饭。”我说。

“在家吃家常菜真好啊，”她装出很羡慕的样子，“饭店的生猛海鲜真是让我想吐哇。”

“在外应酬别太辛苦！”我冲着她的背影大喊，“注意身体呀，双面娇娃！”

果然如我所料，她的脚步停下来，很快转过身，走到我身边，用充满敌意的口气说：“你刚才说什么呢？”

我故意伸出一根指头按了按她的背包，平静地说：“是衣服吗？”

她的脸果然涨红了，表情好像刚吃掉一只虫子一样难看。我的心中暗自得意，继续说：“换好再走也不迟。”

没想到她用很轻松的语气回答：“今天我不小心把咖啡泼到段柏文身上了，所以拿回家，替他洗一下。”

“记得加柔软剂。”我不甘示弱，“还要给他熨好，他很爱干净的。”

“没问题。”她对我眨眨眼，说，“你家老段的事情你最清楚。”

“可是有些事情，我实在是搞不清楚呢。”我说。

“要不是我太忙，还真想也把有些事情好好弄清楚呢。”她充满深意地回敬我，顺便把包潇洒地往肩上一背，就转身离开了。

在她转身的一秒钟里，我的姿势由傲慢变为颓唐。要是当时有人伸手在我肩上一碰，估计我就会整个散架，溃成一撮灰烬。回想起刚才和她像雾像雨又像风的较量，就像那部叫做《金枝欲孽》的电视剧，最伟大的智慧和最卑鄙的伎俩，原来都诞生在情敌之间。就在斯嘉丽那决绝的一甩头之后，我断定了我和她的情敌关系。从那一刻开始，第一个有形有状的程咬金，正式杀到我面前了！

我，不，怕！

正当我沉浸在揭幕战给我带来的兴奋中时，我听到一个熟悉的声音。

“米粒儿……”

我回头，看到一位穿着咖啡色对襟棉袄的“老人”，横刀大爷。

我悲愤地对他说：“不要杵在门口！被发现跨班交往，我就死在你手上了！”

他完全不理会我，怡然自得地说：“你还没走啊？难怪在校门口等不到你。”

我一边往教室门口走，一边头也不回地说：“你杵在那里，被其他班同学看见，被我们班没回家的同学看见都不好！你不怕别人乱说，我还怕呢，能不能麻烦你低调一点点呢？”

“怎么，你心情不好吗？”横刀问，“感冒好点没？”

我回到教室，跑到座位前，从桌肚里拿出一个塑料袋，里面装的是他那一堆乱七八糟的药和他送给我的七件礼物。我拿着它们冲到他面前，往他手里一塞说：“这些还给你。以后，麻烦你都不要再来找我了。”

我说出这句话，他看上去很吃惊，手僵持在那里，不肯接。我低头看到他的手指，细得跟鸭肠似的，还泛着泡水的那种苍白劲儿，有些发抖。我对自己说不能心软，这样下去害人又害己。

“米粒儿，不是，于池子同学，”他有些慌乱地说，“如果给你压力了，真是对不起。我知道，谈对象初期，把握好节奏很重要。你要是觉得我们的节奏有问题，我可以调整！”

还谈对象！

就在我快要晕菜的时候，我们同时发现了段柏文，他站在五楼的楼梯口，斜背着大书包，看着我们俩，那眼神里洞悉一切的意味，简直可以把我直接打入十八层地狱。

“是因为他吗？”横刀明知故问地问完这个蠢问题后，没等我的回答，就把手里的塑料袋一把甩上肩头，“噔噔噔”地往段柏文的方向走去了。我生怕他胡来，赶紧追过去，哪知道他经过段柏文时根本没停下脚步，甚至都没有看他一眼，就直接下楼去了。

“吵架了？”倒是段伯文，斜着眼睛笑着问我。

“不是你想的！”我觉得我都要哭了。

“我想什么了？”他真是赖皮。

“你心里清楚！”我答。

他突然愣了一下，好像我们之间的对话让他想起了什么重要的事情，双眼瞬间失神。

“你找我？”我问他。因为平时，他根本不会从四楼到五楼来闲逛。难道是因为今天过节……

但很快我就知道我表错了情，他收回那恍恍惚惚的思维，对我说道："啊，不是啊，今天文学社开个短会，准备元旦诗歌朗诵会，我去楼上的高三（7）班一趟。"

原来如此！

"那个韩卡卡，长得可真像小耳朵老师。"我觉得我必须要报复一下，必须！

"就会胡说！"他果然中招，瞪我一眼，转身继续往楼上走去。

不过我心里还是舒服的，至少，他没有跟斯嘉丽在一起！

"喂！"我实在不想放弃这个难得的偶遇的机会，连忙喊住他，"我妈问你今晚去不去我家吃饭？她说研究了新的菜品，急着献宝呢。"

"我不能去了。"他说，"今天很忙。"

"哦，再见。"我早该知道他很忙，早该知道就算是借着我妈的名义发出这样的邀约，到头来都是自取其辱。他怎么会同意呢？他太忙了，永远都忙不过来。他早就不是那个一遇到不痛快就死赖在我家不走的段柏文了。

我转过身往回走，恨自己恨到发疯，眼泪不争气地掉了下来。

我回到了教室，把整个教室扫了三遍，一直扫到手软为止，心里才稍稍好受点。不知为何，从小到大，我发泄痛苦的方式都显得那么愚蠢。打过自己的脸，在日记本上把自己画成猪的样子，把自己一个人关起来，不吃不喝不说话，甚至自杀。

那是很小的时候，有一天看一张我和我妈的合照，忽然觉得我和我妈长得一点也不像，我很想不开，连续想不开很多天之后的一个晚上，我用枕头蒙着脑袋，试图让自己停止呼吸。要不是在关键时刻，被来我房间替我盖被子的妈妈扯走那个枕头，我恐怕早就化身成为小天使了。

在表达自己的感情这种技术问题上，恐怕我真的遗传了我妈的失语症。

如果是这样，那我对他的这份感情，是不是也像我妈被我发现之后，就再也没写过的日记本一样，注定只能留白了呢？

这么多年来，我第一次有这种绝望的感觉。我明白，这种绝望一旦滋生就变得很可怕，就像馒头上的小霉点，洗不干净，揉搓不掉，除非放弃欲望，彻底扔掉拉倒。

直到天黑我才锁上教室的门回家。走到校门口，才发现横刀竟然还没走。他坐在离学校大门不远的马路牙子上，用双手抱着头，埋着身子，一动不动。

一种同是天涯沦落人的感觉涌上心头。

当我被深深伤害之后，才知道随心所欲地伤害别人是一件多么不应该的事。我稍稍犹豫，终于决定走近他，轻声对他说：“对不起。”

他猛地抬头，看到我，惊喜地说：“你出来了？”

我把他放到花坛边的那个塑料袋拿起来，轻轻放回他怀里，对他说：“以后都不要给我送礼物了，好不好？”

“你不喜欢吗？”他说。

“不是的。”我说，“这里不是你老家啊。我们家的规矩是，女孩子不可以随便接受男生的礼物。”

“你知道为啥一定要送七样吗？”横刀说。

我摇摇头。

“你看我送你的七样礼，是不是七种颜色？”

我回想，翻白眼的鱼挂坠是蓝色，围巾是桃红色，金嗓子喉宝是绿色的盒子，纸扇子是金色的，手电筒是橘红色，防狼喷雾的外壳是紫色，超市优惠券则是罕见的雪青色。

果然是七种颜色。我点点头。

“在我们那儿，送这样的礼物给女娃，就是告诉她，她比七种颜色组成的彩虹还要美，还要珍贵，还要招人喜欢。”

招人喜欢？第一次有人这么夸我。我手脚都不知道怎么放了，觉得怪不好意思的，但他却很坦然地说：“因为我觉得你是个招人喜欢的女娃娃。你别觉得女娃很土，我倒是觉得，女娃比女孩子、女生这些普通的称呼听上去要可爱。你说呢？”

我什么也没说，只是不好意思地微笑。

但不知道为何，我心里的郁闷扫去了大半。

那天他送我回家，我们说了很多的话。我知道了他爸爸是个船长，每年暑假，他都会到他爸爸的船上去度过一段时间。他喜欢大海；喜欢在网上编故事；没我想象中土的是，他喜欢吃的甜品是提拉米苏，跟我一样；还喜欢跟着寂寞的妈妈学织毛衣。还有，他说：“我还喜欢……”说到这里，他却戛然而止，过了半天才补充说：“喜欢这样跟你聊天。”

他说完这话脸就红了。我是透过明亮的路灯才发现这一点的。

像他脸皮这么薄的男生，我估计在天中要打着手电筒找才行。

我在我家小区不远处跟他告别，他走了两步，却又回过头来，掏出那个让我几近抓狂的塑料袋，对我说道："真的当我是朋友，就选一样吧，不要让我失望。算是，圣诞礼物，好不好？"

我也不想扭捏下去，于是我闭上眼睛，伸手在袋子里随便抓了一样，当我拿起来的时候，发现是那支可笑的防狼喷雾。

"要是有人欺负你，就用这个对付他。"他说完，咧开嘴，笑得很开心。

我作势要去喷他。他很配合我，夸张地抱头逃窜。跑出老远，又回过身来给我挥手说："米粒儿，再见！"

他又忘了我的规定，但我好像不那么讨厌他了。

不是，我觉得我已经不讨厌他了。

_07

回到家里，才发现妈妈不在家。

我刚在沙发上坐下，家里的电话就响了，是妈妈，告诉我公司今晚聚餐，她推来推去都没能推掉，所以要吃过晚饭才能回来。

“推掉干啥，你好好happy！”我对她说。她甚少在外面应酬，我真担心她有一天什么朋友都没有。

“可是你吃啥呢？”她又犯愁了，“冰箱里都是剩菜。”

“哎呀，我没事呀，随便吃啥都行。你就放心吧！”

挂了电话，我就躺在沙发上发呆。我依稀听到窗外有燃放烟火的声音，于是趴在窗户上向外看，果然看到了小簇的绿色烟火，在不远的天空升起，可是才跳出来几朵，就很小气地不再出现了。我灰心地拉上了窗帘，又百无聊赖地打开电视机，各种无聊的综艺节目正在努力地大放异彩，别人都在狂欢，我却享受孤单。

我记得初二那年的圣诞节，正好也是周末。段柏文的爸爸娶他的后妈过门，他很不开心，不想回家，一个星期都赖在我家里。那个星期，他放学就待在我家的书房里上网，打游戏，作业也全是抄我的。我妈却对他倍儿好，给他买新衣服新鞋新书包，还说是圣诞礼物，我却什么都没有。其实我也不是生他的气，我就是觉得我妈偏心，太过分了，所以那晚我为了一件小事跟我妈顶了嘴，且一直挂着一张臭脸。一个晚上他逗我我也不笑，跟我说话我也爱理不理。直到他爸爸来接他回家，他敲开我的房门，丢给我一张Merry Christmas的卡片。我打开一开，里面用胶带粘着一颗话梅棒棒糖。

我感动得要死，可他已经走了，说谢谢也来不及了。我舍不得吃那颗糖很久，却在某一天被我不小心放在暖气片上，糖融化了大半，我心疼得要命。后来，我将那张纸条和那颗棒棒糖的棒棒都保存了起来。

这么多年他随手送给我的礼物，其实都被我小心珍藏了起来。甚至包括有一次他临时有事，塞进我手里的一张看过的报纸。

可是他留住我送给他的什么呢？哦，我忽然意识到，我除了给他带早饭和其他各种零食，貌似真的从来没有送过他什么。

既然如此，我是不是要送他点什么圣诞礼物呢？

平安夜再思考这个问题显然为时已晚。除了斯嘉丽给我的香水，我找不到一样合适的礼物。

什么时候我不再比别人慢半拍，我的人生才会有精彩的可能。

我看看表，晚上七点。这样的夜晚，他在干吗呢？换成以前，我早就八百个电话追过去了，但现在，有种无形的距离将我们越拉越远，也让我越来越自卑。我在他的心目中，比不上小耳朵老师我愿意接受，比不上韩卡卡我也可以勉强接受，但若比不过斯嘉丽，我觉得我就可以去死了。我躺在那里，给他发了一条很无聊的短信："你介意女生帮你洗衣服吗？"

他过了半小时才回复我："不介意。"

"什么样的女生都不介意？"我又追发一条。

"同学情谊，有啥介意。"

我很绝望，看来洗衣服事件并不是斯嘉丽平空杜撰出来的，而且看他的样子，好像天经地义，一点都不觉得羞耻。

同学情谊，同学情谊，口口声声的同学情谊，是什么玩意呢？不过是赤裸裸的男女之情的推托之词！眼看事态正向我最不希望出现的真相一点点靠近，我怎么可以做到无动于衷？

这样想着，我果断地拨通了段柏文的电话。

很久很久的忙音之后，他接起来，很大声地说："喂？"

他似乎在一个很嘈杂的地方，我也要很大声地说话，他才可以听得见。

"你吃饭了吗？"我问。

"你有事啊？"他仿佛没听见我的问题。

"没事就不可以打电话给你呀！"我调整了一下语调，温柔地补充，"我妈不在，我害怕死了，你来我家陪陪我，好不？"

上天作证，这是我这辈子跟他撒的第一个娇，我立刻没出息地脸红了。

"哦。"他似乎没有听出我话里的似水柔情，急切地说，"我等下再打给你啊，现在很忙。"

我刚刚想接着说话，电话里已经传来了忙音。

我把电话铃声调到最大，在我站起来喝了两杯水，上了一次厕所，洗了一次脸，梳了三次头之后，十五分钟过去了，我脸上的红晕仍然久久不肯散去。

段柏文依然没有再打来，我妈也没有回来。

看来这个平安夜，大家都很忙，除了失败的于池子。

我挣扎起来上网，看到斯嘉丽久不更新的私人博客昨晚居然有更新。

圣诞的假面舞会

公主不穿水晶鞋

王子不哀伤

公主和王子的最后一曲华尔兹

跳给自己欣赏

请给出场费

否则滚出场

算了算了

我怎么可能和你算了?

我脑子飞速旋转，圣诞假面舞会?谁和谁跳舞???难道他和她?

谁给出场费???难道是我?

我心里的疑团越滚越大，于是我按捺不住地打了斯嘉丽的电话。我要知道今晚她在哪里，究竟在干什么，不然，我今晚都没法睡觉！

然而，她没有接。

斯嘉丽的电话我知道，只要不在学校，她的电话铃声比马路上的车喇叭声音还要大，她不可能听不到我打过去的电话。唯一的可能性，就是她不想接，或者，她忙得没空接！

我反复看她语无伦次的博客，忽然，有两个字在我脑子灵光一闪，算了，算了？我想起天中附近那个著名的酒吧，它的名字就叫做“算了”。那是一个无论谁提起来都津津乐道的地方，除了初中毕业那个晚上，在它的大门口从一个疯女人手里解救了喝高的段柏文之外，我从来没有进去过，但却听过许多有关它的彪悍传闻，其中属“醉酒”和“艳照”最有名，总之，说起“算了”就代表了刺激和新奇。天中甚至流传着一个说法——“没有进过‘算了’的九零后，不是真的九零后。”

那么，今晚的那里，是不是也在酝酿着什么阴谋的舞会或者华丽的暧昧呢？

我的脑子里一下子冲进很多奇异的想法，像一锅味道复杂的火锅，翻腾许久，意味深长。

直到深夜十一点，段柏文还是没有打来电话。

随着午夜的临近，我的呼吸都变得紧迫了。我拼命按住满脑子慌乱的想法，用最快的速度戴上口罩、帽子，换了一套我在学校从没穿过的衣服，拿着我的小数码相机，背着包出了门。

如果那是伤疤，我要揭开它；如果那是秘密，我要让它大白于天下!

是的，我有我的特别计划，我把它叫做——为爱变狗仔!

我做好了打一场硬仗的准备，我发誓，要彻查出斯嘉丽的底细，彻查出她那见不得人的勾当，彻查出她的惊天大秘密，不让他落入她早就布置好的温柔陷阱。

我在餐桌上给我妈留了个纸条：出去看烟火，很快就回，不用担心。

十二点，应该是酒吧最high的时候，尤其这样特别的节日，更加如此。我老远就看到那个酒吧不大的门，被各种形状的彩灯挤挤挨挨地包围着，如一棵结了太多果子的树，随时都会折断腰一样。隔着磨砂玻璃，五彩斑斓的灯光像要迫不及待地从那个充满魔力的小房子里溢出来一样。

我看了看手机，十一点三十二分。

我深吸一口气，推开由“圣诞老人”把守的大门。虽然早有准备，可我还是被这种人挤人的场面吓坏了。忽然听到喇叭里传来喊声：“第一名奖金五千元！”话音刚落，台下就爆发出一阵阵尖叫。我往场地中央的舞台上看，有好几个戴着五颜六色发套的面目模糊的女生正在喝啤酒，桌上放满啤酒瓶，还有人在不断地把啤酒桶往台边垒，场面极为恐怖。吵闹的音乐声几乎穿破我的耳膜，我好不容易挤到吧台，才看到一个服务生。“Hello，小姐要什么饮料？”我低头，看到一排五颜六色的类似酒又好像不是酒的饮料，有些丢脸地摇了摇头。

当我踮起脚尖，费力地仰起头看向舞台的时候，毫无狗仔精神的我发出了一声无与伦比的尖叫，幸亏我的尖叫声迅速地被周围人群的叫好声淹没。

是的，我看到了斯嘉丽！

她是台上五个发型各异女生中披着粉红色发套喝得最卖力的一个。她一边喝，啤酒一边从她的腮帮子边往下直流，一直流到裙摆上，再从裙摆上一滴一滴滴了下来。那样子真是要有多难看就有多难看。她的胸前已经湿了一大片，我可以隐隐约约看到她的内衣……

我无法用语言来形容我当时的震惊心情，只顾着双手颤抖地从包里拿出相机，开始捕捉她在台上的样子。我站的地方角度不是很佳，需踮起脚尖才能拍到一个大概。我承认我真的很紧张，不知道会不会有人来制止我不许拍照，不知道会不会有人来叫我买瓶酒才可以待下去，不知道台上的斯嘉丽会不会做出惊人的动作，比如脱掉外套……

我承认我就是象牙塔里的一只笨鸟，所有的经验都来自于想象，当我真正身临其境，就完全失去应对能力。和台上表情自然、风度十足的斯嘉丽相比，我简直就是我妈大年夜的那一桌满汉全席里最端不出去的那盘窝窝头，只有待在厨房角落里发硬的命！

我还嫌人家横刀土，没想到我自己也土得前无古人后无来者。

喝啤酒大赛进入了白热化阶段，音乐的鼓点节奏越来越猛烈，我的心脏快被敲得裂成八瓣了。有服务生端着托盘经过，我不管三七二十一抢到一瓶啤酒，先猛灌一口。靠，又苦又辣，但我忍住恶心咽了下去。我要证明，关键时刻，我的忍耐力并不比正在作秀的斯某人差。

忽然，音乐戛然而止。人群爆发一阵强有力的欢呼声，我再次往台上看去，那五个要钱不要命的女生已经停止了喝酒。有一个女生一个趔趄，歪在地上，却在傻笑，大概是醉了。这些人对自己的丑态疯态毫不介意，斯嘉丽也一样，她的脸上挂着胜利的表情，好像做了什么学雷锋的好人好事似的。她面前的桌子上几乎全是空的大马克杯，至少有几十只。一个貌似DJ的人走到台上来，数了数她们各自面前的酒杯，几乎毫无悬念地，他握紧斯嘉丽的手举起来，同时，递给她一个很大的信封。

台下的人们疯狂地为她欢呼，她更是高调得一塌糊涂。不仅立刻拆掉信封，还扬起那些钱，一边欢快地亲吻着她手上的粉红色钞票，一边兴奋得双脚不停地跺地。

我则冷静地用镜头记录下了这一切。

越来越多的人涌到台上，我差点被人推倒。我听到收音机里传来DJ的声音："欢迎大家在平安夜光临'算了'酒吧！零点马上就要到了，希望大家响应我们的活动，和你身边的陌生人也好，熟悉的人也好，来一个拥抱，并祝他们圣诞快乐！好不好？"

"好！"台下的人群兴奋起来。

我也禁不住被这种气氛感染了。再加上揭开斯嘉丽真实面目的证据在手，我不禁洋洋自得，只要把这些证据交到段柏文手中，任她斯嘉丽再有能耐，也要不起花枪了吧……

我为自己暗暗叫好。

这时，DJ继续说：“好，下面跟我一起倒计时，10、9、8、7、6、5、4、3、2、1……”

是啊，过完圣诞新年就要来了，新年的于池子，也肯定会和往年不一样。我要争取属于我的一切，我要争取我想要的一切！我陷在人群里，和大家一起欢呼着。伴随着这欢呼，我扭过头，往台上的斯嘉丽看去——

是的，这关键时候的拥抱非常之重要。如果能把它做成大幅的海报张贴在天中的论坛里，再配上一个绝妙的标题……我心中狂妄的复仇计划正越描越离谱的时候，眼前的一切，却将我的世界瞬间贴上了一块让我行动不了开口不得的强力胶带——

段柏文和斯嘉丽紧紧抱在一起。

我奋力地眨眼，再眨眼，但眼前的一切定格在那里，不是错觉，是事实，无法再刷新，或被改写。

就在这时，我感到自己也被一个陌生人抱住了，再一看，是个胖乎乎的女生，个子还不如我高。她很害羞很快乐地对我说：“圣诞快乐！”

我默默地挣扎开她环绕过来的友好拥抱，从人潮里退出。

我走出“算了”，手机却意外地震动。

我以为是我妈妈催我回家，打开来，看到横刀的短信：“我最亲爱的朋友：这个平安夜，别忘了吃苹果。愿你的圣诞老人保佑你平平安安，快快乐乐。”

我关掉了手机，扯掉了口罩。

迎接我的，是扑面而来的一阵冷风。

寒冬真的说来就来了吗？

很少在夜里出门的我从不知道，节日的夜晚可以如此闪亮华美。可我该如何，才有勇气面对这个瞬间破碎冰冷的世界？

_08

小学一年级的暑假，体育馆的游泳池边。

我静静地坐着，把双脚放进暖洋洋的水里，顿时感觉下半身失去了力气，好像随时都会滑进水里似的。我一面瞅着他伏在水面的脑袋发呆，一面紧紧抓住泳池旁的扶手。

“下来啊于池子！”他忽然转过头，伸手招呼我。

我把游泳圈往腰上用力提了提，看了看他身后一望无际的水面，使劲摇了摇头，严肃地说：“我不敢！”

“来嘛！”他游到靠近我的地方。

我怕被他拽下去，扭了扭屁股，想挪到远一点的地方，可没想到手一松，滑进了水池。

于是整个浅水区，只听到我一个人恐惧的尖叫声。后来，眼泪汪汪的我被他捞上岸，他却笑得上气不接下气，猛敲我的头一下说道：“你是于池子啊！‘鱼’池子，我以为你不怕水呢！”

三年级，美术课。

他没带水粉颜料，老师用塑料尺子在他的手心打了一小下，让他长长记性。

下课的时候，他敲着桌子很凶地对我说："于池子，把手伸出来！"

我伸了出去。

他用塑料尺在我的手上敲了三下，说："以后这些东西，我不记得的你要提醒我，记得了不？"

后来，我习惯了什么都买两份：两支自动笔，两块橡皮，两把尺子，两个圆规，两瓶修正液……再后来上了初中，他惭愧地对我说："以后这些文具，就不用你替我买了啊。怪不好意思的。"

但我还是买两份。如果他刚好没有铅笔用了，我就把另一支铅笔满不在乎地扔给他说："凑巧买的。"

上了初中，他比以前沉默多了，多半是他妈妈死了的缘故。他的嗓音也发生了变化。但是偶尔下课后他还是会酷酷地对我说："笔记本借来抄抄。"可是与此同时，他的字却越写越好看了。在老师评讲作文的时候，他的名字也越来越多地被提到。下课时我总是出其不意地冲到他座位旁边，抢过他在看的书。他就蹙着眉头告饶："别闹了行不行？"

……

往事一幕幕，像我一个人的旋转舞。

而他，只是广场中央那座不变的雕塑，任由我不知所终，舞了又舞。

可笑的是，我以为只要再经历多一些沧桑变幻，总有一天可以靠近他；我以为我们在一起度过的童年时光，会是我和他共同珍视的回忆。到今晚我才发现，在他和别人的爱情面前，于池子只不过是一个可以“稍后通话”的人，只不过是王子和公主的舞会上一个微小的点缀。

我臆想的那一切从来都不存在，只徒留一个可悲的笑话。我跟斯嘉丽所描述过的每一个和他有关的细节，此刻就像一记又一记响亮的皮鞭，抽打在我的全身，疼得我几近窒息。

太丢人了！

走着走着，我走到了那条熟悉的河边。

我在这里经历过疯疯癫癫的跟踪，经历过傻里傻气的约会，真是有缘。我情不自禁地蹲下来，风经过我的耳边，就在那一瞬间，我的脑子里像忽然出现一根紧绷的弦，被人用力地弹拨之后，出现了致命的震荡——

如果我就这样跳下去，会怎么样？

风在刮，树叶在动，冰箱里没有吃完的剩菜明天还会继续吃。我的离去会对谁造成影响？妈妈的世界里可不可以没有我——即使我真的死了，像她这样为了爱情可以缄默三十二年的坚强女人，一定挺得下去的；横刀，算了，就算他肯为我掉几滴眼泪，总有一天，他也会遇到比我更好的、会真心喜欢他的女生。最重要的，也是唯一重要的——段柏文，他会感到难过吗？如果我真的死了，这是我唯一想知道的问题。

他会不会和今晚的我一样，回忆起我和他共同度过的童年岁月，捡拾那些不起眼的碎片，想到再也不可能的拥有，由衷地感到撕心裂肺的疼痛呢?

那一刻，我充满私心地想，只要他痛苦，我便没有白白去死。

于是，我试探性地把脚伸进河水里。

好奇怪，伸进水里之后，我没有感到冰冷，不知道如果我再继续往下面走一些，会是什么感觉呢?

就在这时候，我听到有人叫我："小姑娘！"

我一个条件反射，双脚收缩，几秒钟就站回了河岸上。

这么晚了，怎么会有人？我心里狐疑，转身看到一个穿白色羽绒服的女人。要不是她拿着手电，我一定以为遇到了鬼。

"这么晚了，你还不回家吗？"那女人看上去不过二十五岁的样子，估计是从我背的双肩包，看出了我的稚气。

"今天是圣诞节。"我急于解释。

"哦，没错。所以，圣诞快乐。"她微笑着看着我的双脚，说，"这么冷的天你还玩水。我家就在附近，要不要去我家把鞋子烘干？"

"不用了。"我想掩饰，把脚往后缩，却发现根本无从掩饰。

她看出了我的窘迫，笑着说："我是那边阿布风筝店的老板娘。如果你常来这儿，应该知道的，就在桥头。"她指了指不远处的西落桥。没错，我想起来了，那里是有一家风筝店，门面不大，总是挂着五彩斑斓的各种风筝。

她又拉了一下我，指了指不远处的天空说："看，那是我们店里新开发的荧光风筝，能在晚上放的，看见没？还可以把你的愿望带上天。所以，我们又给它起了个名字，叫许愿风筝。你说会不会有人愿意买哪？”

我顺着她手指的方向，果然看到不远处，一个燕子形状的闪着紫色和红色光芒的风筝，在漆黑的天幕上一闪一闪的，漂亮得惊人。

冬天的晚上放风筝，还真是少见呢。

我仔细打量她的穿着，才发现她的腹部是微微隆起的。她注意到我的表情，怪不好意思地说：“我家那个疯子非要来试验一下他的新发明，不然这么晚了我才不带宝宝出门呢。”说罢，她把羽绒服的帽子戴在头顶，又伸出手来，替我拉了拉我的大衣帽子，对我说：“小心冻。”

我看着她的肚子，问：“能让我摸一下吗？”

她笑着说：“当然可以。”

我的手很冷，我用力搓了搓，又哈了口热气在掌心，才隔着厚厚的羽绒服放在她的肚皮上，一阵微弱的温度从她的身体里传出。生命是如此脆弱。我的手轻微地颤抖了一下。

“男孩女孩？”我问。

“不知道。”她说，“男孩女孩都不重要，重要的是要平平安安地长大，我这个当妈的就满足了。”

她说这话的时候，就一直看着我的眼睛。我发现她长得很漂亮，差不多是我见过的最美丽的准妈妈了。

“这么晚，你该回家了，不然你妈妈会担心的。我像你这么大的时候，可是个坏学生。整天整夜地不回家，就知道在外面疯玩。”她笑着对我说。说完，她转头扯着嗓子对远方发出亲热的呼唤声：“阿布，我们回家啦——”

在她亲热的呼唤声中，我的魂收回来了三分之二。是的，我还有家，我还有我妈妈。她现在一定在找我，一定很着急！和那个半夜降临的救世主般的风筝店老板娘告别之后，我往家的方向飞奔。我决定把半个小时前的那个不争气的自己抛在脑后，要死，也要轰轰烈烈地死，决不能让我的人生和我妈的人生一模一样，成为一场由等待变为失去的悲剧。

一口气跑到我家楼下，我抬头看，家里的灯果然亮着。我忽然很想哭，那些被我强压下去的委屈又回来了。我真担心见了我妈后会扛不住，扑到她怀里一阵猛抽，那她一定会吓得半死非要问个究竟不可。到那个时候，我该编一个什么样的谎言才能够搪塞过去呢？就在我稳定情绪一步一步地往楼上走的时候，听到有人往楼下跑的声音，那脚步声我很熟悉。直到我们在楼梯狭路相逢的时候，我才确定真的是他。

我揉了揉眼睛，没准备好任何表情，只能低下头去。

“你回来了？”他站在比我高一级的台阶上，用很凶的语气问我，“你跑哪里去了，你妈都快急疯了！”

“没事啊。”我努力地调整口气，让它变得正常一些，“放烟火去了，觉得好玩，就忘了时间了。”

他伸出手，重重地敲我的头一下，然后转身上楼了。

我跟着他回到家了才发现家里很热闹。除了我妈，居然还有许久不见的段柏文他爸。餐桌上有一些夜宵，看来他们在找我之余还没忘记享受。

“哈喽，圣诞快乐哦！”我跟大家打招呼道。

“你去哪儿啦？我们找了一大圈！这么晚了，你电话也不打一个，是不是脑子坏了？”我妈愤怒地指了指墙上的钟，凌晨一点十五分。

我口齿伶俐地说：“今晚有焰火晚会，超漂亮的，就是在城郊，离市区有点远，我得到通知的时候已经比较晚了。我打你电话没打通，所以留了纸条在餐桌上呀。本来想通知段柏文一起去，哪晓得他也没理我。”我横了段柏文一眼，他果然识趣地把头低了下去。

我妈的表情还是很愤怒，她声色俱厉地说：“你想吓死我们？你人不在家，手机又关机，该找的地方我们都找过了。这么晚了还害得我麻烦你段叔叔和段柏文，你再不回来，我就要报警了！”

“偶尔嘛，下不为例下不为例！”我笑嘻嘻地回敬，“老妈别生气。我给你们倒水喝赔罪。”

说完，我拿了三个杯子，到饮水机前接了水，放在他们面前。每放下一个杯子，我便侧头微笑着说一句“圣诞快乐”，标准的五星级大饭店服务员素质。

我妈把水杯一推，水洒了一桌子。

我赶紧乖巧地拿了毛巾擦水，段叔叔则看了一眼手表打圆场：“好了，池子回来了就好。时间也不早了，你们早点休息吧，我们就先回去了。”

“谢谢，不送了哦。”我说。

段柏文瞪了我一眼。

我用身子挡住他，左手拿着湿淋淋的毛巾，右手伸出手去，手心朝上，不依不饶地问：“礼物呢？”

“欠着！”他也伸出手来，在我手上用力拍了一下，拉开门，走了。

“给我老实交待去哪里了，都跟谁在一起？”人刚走，我妈就开始审讯。

“母亲大人，我向天发誓我真没干坏事。今天太累了，明天再审好不好？”说完，我微笑着推开她进了房间。

然后，我捂着辣辣的手掌，走进自己的房间，锁上了门，关上了灯。我走到床边，挨到枕头。黑暗中，预谋了好几个小时的泪水，这才终于滚滚而下。

_09

在很多事情上，我认为我缺乏的只是天赋。

从小学到高中，我的成绩一直处于中游状态，还全靠的是拼命加油和背地里的努力。初三那年，他放弃网游，如有神助，成绩节节高升。我每晚喝两杯苦咖啡逼自己背英文单词，咬着牙做数学习题直到凌晨两点，就这样我才考上天中，有机会和他做同桌。

除了学习，我其他所有的力气仿佛都是用在如何讨他欢喜上。但可惜的是，看来我对爱情这件事同样毫无禀赋，不然为什么我用尽了心计，却还是换来这样灰头土脸的结局?

先天不足，后天可补。这个世界太残酷，转个身就会变一张脸，唯有改变自己，才是上上策。

我找到那个我曾经不屑一顾的网站——杀死所有的萝莉，并研究它。那里的女孩子，每一个都可以成为我的教材，让我学会如何保护好真正的自我，以及那个自我所应该拥有的自尊、骄傲还有希望。而所有的肮脏、不快、痛苦，让造出的另一个我承担就好。

听上去，很有技术含量。

但想到斯嘉丽和他的那个拥抱，想到他们合伙对我的欺骗，我就有小脑燃烧的感觉，克服什么挑战我都在所不惜。

故此，我需要做好设计，步步把关，绝不能有一丝一毫的闪失。

那个新年里，我好像豁然开朗，心里开出一扇小窗，窗里跳出另外一个我。她如影随行，像我的双胞胎妹妹，时时提醒我："于池子，想不被耍死，首先要学会耍别人。"

我选择的第一个对象，依然是横刀。

那天中午我来到他的教室门口。他惊喜地跑出来，问我："是找我吗？"

"废话。"我微笑着说，"不然我找谁？"

"嘿嘿。"他搓着手笑了一会儿，像做贼一样左顾右盼了一会儿，这才说道，"你不是说，要低调的吗？"

"你跟我来。"我说完，朝着学校花蕾剧场那边一直走过去。他很听话地一直跟了上来。此时正是午休时间，花蕾剧场静悄悄的，大门紧闭。就在前几天，这里结束了一场成功的新年朗诵会，这场朗诵会让一个叫段柏文的男生迅速地成为了天中的头号明星。他朗诵了一首叫《偏偏喜欢你》的诗歌，据说很感人，据说是送给他喜欢的女孩子的，据说在那天台上的他超有范儿，据说有女生冲上台给他献花……

这么多的据说，是因为那一天我没有去现场。那个时候我正在街上逛，想找一条特别紧的皮裤，这样子我以后去什么“算了”酒吧的时候，才可以有更为合适的装备，不至于让人用特别的眼光来看我。遗憾的是皮裤没买到，不过我买了一条有破洞的牛仔裤，一套化妆品，里面有紫色的眼影有金粉的口红；一个看上去很嘻哈的贝雷帽，一双淡蓝色的高跟鞋和一个超拉风的假卷发。

其实我不去是因为害怕看到斯嘉丽。我实在没把握我会不会冲过去把她的脸扯烂。

当我把新买的物件统统摆到身上以后，发现我不太习惯我的新造型。所以我只是在房间里偷偷地自我欣赏了一下，还没有勇气穿出去雷倒众生。我知道和斯嘉丽比起来，还有很大的一个距离。但我并不气馁，我有足够的时间——三年。

不到最后关头，我绝不会轻易放弃。

我靠在花蕾剧场的门边，问横刀：“你知道花蕾剧场的故事吗？”

“说说看！”他好像很感兴趣。

“很多年以前，有个女生和一个男生，他俩成绩都特好，在班上是前三名那种。后来他们好上了，当然，是很秘密的，除了他们自己，没有别人知道。他们相约一起考复旦大学，毕业后，一起去英国留学。可是高三那一年，女生发现男生劈腿，竟然爱上了一个高一的小女生，跟她提出分手。在毕业演出的那天，她和她们班女生在表演完集体舞蹈以后，当众自杀了。后来，她的魂魄就一直住在剧场里，没人的时候，还会出来晃悠。大家都说，千万不要长得和那个男生像，不然进了花蕾剧场，就会被鬼下咒，然后一辈子都找不到女朋友。”

横刀打了个激灵，但很快他就笑起来，说：“你在编故事。”

“信不信由你。”我说。

“我当然不信。”他得意洋洋地分析说，“首先，一个女生想要在众目睽睽下自杀，那是绝对做不到的事情。割腕？上吊？如果是从舞台上跳下来，那也顶多是扭伤脚踝吧。”

我冷静地说：“她用一把锋利的剪刀，刺穿了自己的脖子。”

“哎呀，池子，你不要瞎说了。”横刀竟然胆小地叫了起来，“难道你这时候叫我来这里，就是为了说这些吗？”

“当然不是。”我白了他一眼，问他，“你敢进去吗？”

“门关着呢。”他说。

“想办法啊。”我说。

他四下看了看，又跑到四周转了转，没过一会儿转回来，对我说：“那边有扇窗户开着，我们可以爬进去。可是池子，你要进去做什么呢？”

他自作主张把我的名字改为池子，可是因为正事缠身我才懒得教训他。

“进去再说。”我说。

他朝我挥下手，带我来到剧场的西侧。我看到那里有扇窗户，果然开着，可是很高，以我的个子很难爬进去的。于是我看了他一眼。

他心领神会地蹲了下来，还在自己的肩膀上拍了拍。

我踩上去的时候有点犹豫，但也确实没有其他办法了。我踩着他，他慢慢地摇摇晃晃地站起来，才勉强够到了那扇窗户。我双手把着窗台，迅速地爬了进去。他则在外面发出了一两声低沉的吼声，这才跟着我爬了进来。偌大的剧场，除了安安静静的木椅子，就只有我们两个。因此更冷。

他拍了拍身上的尘土，环顾四周，很严肃地说："这个地方怎么关门不关窗，太没有安全意识了。"

也许他最适合的工作是保卫科科长。我在心中暗想。

"你真的喜欢我吗？"我转头问他。

因为是阴天，又没有开灯，剧场里的光线很暗。我问题刚问出去，可还是看到他鼻尖上的汗珠，细细密密地慢慢地渗了出来。

"那是，当然。"他的声音听上去有些颤抖。

我大胆地盯着他，他被我盯得有些不好意思了，转头看向别处。我想，如果坐在这里的是段柏文的话，我恐怕连正视他超过三秒的勇气都没有。爱情，就是犯贱的外衣而已。

我把放在口袋里许久的那瓶黑色玻璃瓶装的男式香水拿出来，递给他。

他接过去，嗅了嗅，说："香水？"

"对。"我点头，说，"新年礼物。"

"送我的？"他的眼睛里放出光芒来。

一切都正中我下怀。我学着斯嘉丽的样子，抿着嘴，翘起嘴角，然后找了张中间的椅子坐下，把腿翘起来，抱着双臂，下巴颌指着前方，柔声对他说："那你可不可以送我一个新年礼物呢？"

"可以。"他回答得很坚定，眼睛都不眨一下。

“那你现在跑到舞台上面，大声地喊一句‘于池子，我喜欢你’吧。”

计划实行得太顺利，以至于我连一点点挑战的快感都没有。我料定他一定会上台，如同料定成熟的苹果一定会掉到地上而不是天上。

只是这个过程比我预想中的稍微漫长了一些些，不知道到底过去了多长时间，我前方的视线里终于出现了横刀，他走到了舞台上，双手放在肚子上，看上去非常非常的紧张。又过了好一会儿，他抬起了他的一只手，握成了拳头，当做是话筒，用力地喊出了我规定的那一句话：

“于池子，我喜欢你。

于池子，我喜欢你。

于池子，我喜欢你。

……”

如果我没有数错的话，他一共喊了七次，一次比一次大声，一次比一次声情并茂，一次比一次脸红脖子粗。

我闭起眼睛想象，如果是他，如果是他，那该有多么好。我想把那个变态的自己一脚踢到垃圾堆里去，但我没有，我只是招了招手，示意横刀下来，来我的身边。

他跳下舞台，不好意思地摸着后脖子，慢慢地走近我。在我身边坐下后，他说的第一句话是：“高考我也想考复旦，你呢？”

“你亲我一下吧。”我看着他。其实这时候我的心已经跳得飞快了，但我告诫自己，一定要坚持。世上无难事，只要不要脸。不成功，则成仁。学不会冒险，就永远不会有新的希望。

我把眼睛再次闭了起来。

我感觉到了他的呼吸。在这冰冷的空气里，那呼吸就像烧开的开水壶壶嘴处，冒出的发烫的空气让我没有办法再安稳地坐下去。我等了很久，几乎觉得自己的上唇快被这空气烫出一道口子，他的嘴唇也没有覆盖上来。当我再睁开眼睛的时候，我看到了他的脸，离我很近，似乎只是零点零一毫米的距离，我只能看到他褐色的瞳孔以及眼白上的少许血丝，还有呼呼冒着白气的鼻孔。

最后，我听到他用虚弱的声音对我说道："还是不要这样了。"

"你说什么？"我问他。

他把椅子往远处一拉，说："你看上去，比我还要害怕。我不想让你后悔。"

我一把拉近他，接下来的剧情应该是我主动献上我的吻。这一切早在我的心里排练了不知道有多少次，我一定要做到，一定要。我要把站在我身边的那个双胞胎娃娃推到横刀的怀里！我绝不可以输给斯嘉丽，让她看我的笑话。我要有足够的技能，才可以抢回本该属于我的一切！

可是，然而，我又一次可耻地败下阵来。

我根本就做不来，就是这样。

我放开横刀，自己缩到座位上，沮丧极了。

"我们，应该慢慢来。"他在一旁语无伦次地安慰我说，"真的不需要太急的。你看我们都没有准备好。有些事情真的不能太急了，是不是？"

“你走吧。”我说，“我想一个人静一静。”

“我带你来的，我一定要带你走。”他说，“我陪你，不吵你。”

“你走。”我装作生气地说，“我不要再看到你。”

“不走！”他说。

“滚！”我朝他大吼一声。他显然吓了一跳，从椅子上站了起来，但依然没离开。过了好一会儿他才敢大声说：“你要真是这么介意，我可以的！”

说完，他再次坐了下来，两手死死地按住我的肩膀。

那一瞬间，我绝望得想尖叫，手不由自主地抬了起来，当即给了他一耳光。

我从来都没打过人，我发誓这是第一次。我也不知道自己是怎么了，好像被什么心魔控制了，由不得自己。我还没来得及跟他说对不起，没想到他竟然抬起手来，左右开弓，猛打了自己好几下，然后他蹲下来抱着头，说：“我流氓，我真怂，都是我不对。”说完这些，他抬起头，诚恳地对我说，“你用那瓶防狼喷雾喷我一下，当做惩罚吧！”

你瞧，这场私人话剧，高潮迭起，真是有模有样。

可是我收获为零，一点都不快乐。

10

> 她算可爱吗？你认真笑话。
>
> 她洗清化妆，你应该会害怕。
>
> 她太丑，你偏偏看上乌鸦
>
> 当你勾搭她，你想起我吗？
>
> 当你失了踪，我真想过杀死她。
>
> 我不算做错吧？

这首名叫《杀她死》的歌，被我在MP3里反反复复播送无数遍。

我好怕我的双胞胎妹妹的力量渐渐微弱，只能用更多的力量来助长她。那个网站说得没错，人类最好的守护神就是你自己。全心全意地保护和热爱，也只有自己可以给自己。

可惜我醒悟得太迟，只希望一切还来得及。

一个星期之后的黄昏，期末考试来临之前，我拨开学校布告栏前攒动的人头，看到了五张处分通告。

除了我意料之中的斯嘉丽以外，还有两个高三的女生，一个高三的男生，最后一张上，竟然赫然写着段柏文的名字。

我打了一个很结实的喷嚏，声音响亮，差点让我全身碎裂。我努力眨了眨眼，想要看得更真切一些——“经研究决定，给予段柏文同学严重警告处分”。

没错，确实是段柏文！怎么搞的！

我从人群中退了出来，仔细回忆我做那件事的经过，无论怎么回忆，都记得我是把那张他们拥抱的模模糊糊的照片抽出来了的。那个夜里十一点被我塞到河马阿姨办公室门下的厚厚的信封里，应该绝不会出现作何关于段柏文的蛛丝马迹。

到底是哪里出了差错？

我发现自己全身都在发抖，但心里却烧得慌，像患了疟疾。我飞奔回宿舍，到洗手间里用凉水冲脸，足足冲了有十分钟，我才掏出手机，用冰凉的手指给斯嘉丽打电话。

她告诉我，她在女生宿舍的楼顶。

那里是严格规定不许去的地方，通往楼顶的铁门一向都锁着。我不知道她是怎么上去的。

“你在那里干吗？”我问她。

她的语气听上去心情还不错：“看风景呢。或者，你上来陪陪我？不过要小心哦，别被人看见。我偷了管理员的钥匙。”

我深呼吸，做了好一会儿心理准备，才跑上楼。推开虚掩的铁门，一眼扫去，却发现楼顶上空空如也。我吓得浑身冒汗，正欲扑到楼顶边看个究竟，身后却有个软软的身体突然抱住了我说：“姑娘我在这里呢。”

原来她躲在门后，怪不得我没看见！真有她的，在这时候还有心情开玩笑！

我尖叫一声，一把推开她，厉声问她：“很好玩吗？”

她笑着说：“瞧你，胆真小。放心吧，我才不会做自杀那种蠢事。”

“你没事吧？”我问。

“当然有。”她说，“不过想想也没啥。人在江湖飘，哪能不挨刀。”

我说：“你说得对，人总是要为自己做的事承担后果的。”

“让我猜一猜，”她靠近我问，“我的元气小姐，你到底是来安慰我的，还是来质问我的？”

“随便你怎么想！”我没好气。

斯嘉丽叹口气说：“我不知道得罪了何方神圣，人家往河马阿姨的办公室塞了一封长长的检举信，说我混酒吧，喝酒还赌博。最夸张的是，信里还附上了我一堆特有腔调的照片，真是不承认都不行。可是我发誓，河马阿姨审我的时候，我谁都没出卖。是学校自己去‘算了’酒吧查的，真的跟我没关系。不过现在，我说什么也没人信了。”

“那就是，其实他还是跟着你混酒吧、喝酒、赌博了，只是你没出卖他？”

斯嘉丽眼珠一转说："你家老段的事，难道你不清楚吗，还来问我？"

"不清楚。"我说，"所以我希望你告诉我。"

"那你还是自己问他吧。"她找了个地方，坐下来，看着天对我说，"其实，每个人都有自己的秘密，如果他不想说，还是尊重他比较好。元气小姐，你也有不想被别人知道的秘密，不是吗？"

"就像你去打针，也是一个秘密吗？"我站在她身后问。

事到如今她还在跟我撒谎，我实在是气极了，不拆穿她不行。

这招果然厉害，听我这么一说，她忽然转头看我，身子像被电击了一样，脸上的表情极为诧异，语速飞快地问我："你都知道了些什么？"

"这是我的秘密。"我说，"不过如果你愿意，我们可以交换一下。"

"不。"斯嘉丽想了一下，坚定地摇摇头说，"秘密一旦被人知道了，就会变得一钱不值，还有什么交换的必要呢？这件事给我的教训就是，永远不要把你的秘密告诉任何人，如果，你真的把它当成一个秘密的话。"

不管怎么说，她的话听上去很有哲理，一看落了下风，我赶紧换个话题："这个处分不会有什么影响吧，高考最终还不是看分数。"

"这是你的污点，会放在你的人生档案里，永远都在。"斯嘉丽转头问我，"可我并不觉得自己有多坏，够得上被处分的水平，你说呢？"

“那是，当然。”我苍白地附和。

“其实最亏的是你家老段。”斯嘉丽说，“本来学校打算选送他和韩卡卡去北京参加一个全国的作文大赛，现在泡汤了。”

这样。

“你别责怪他。”斯嘉丽说，“我想他现在更需要的是理解。”

“理解他什么呢？”我说，“理解他瞒着我出入于那样的风月场所吗？”

斯嘉丽说：“难怪他就算对你说出我的秘密，也不敢把他自己的秘密告诉你。元气小姐，我不得不遗憾地说，你和他，并不算一个世界的人哦。”

听完斯嘉丽的这些话，我站在空荡荡的楼顶，心像被一阵大风刮过了一样，除了漫漫灰尘什么也没有。

这算什么呢？

在这场和斯嘉丽的暗战里，说到底，我们谁都不算赢家，不是吗？

“我要去上晚自习了。”说完这话，我转身往铁门边走去。

身后传来斯嘉丽的声音：“元气小姐，你可以回答我一个问题吗？”

我点点头。

“在你心里，我到底算不算你的好朋友？”

这确实是一个让我很难回答的问题。我内心的双胞胎又在打架了，一个鼓励我说出真相，一个鼓励我继续撒谎。最终的结果，我只是丢下了三个空洞的字“你说呢”之后，选择了快速地离开。

其实，我也没那么讨厌斯嘉丽吧？有的时候她还是有一点点可爱的。第一次认识她是我们两个班女生合上的体育课上。我穿着一双鞋带总是会松开的跑鞋，在短跑测试的时候总是踩到自己的鞋带，差点摔一个大马趴，窘死了。是她把自己的跑鞋干脆地脱下来，对我说：“拿去穿吧，不臭脚。”

我又在心里骂自己犯贱。为什么报仇计划刚刚稍有成效，我就替她着想起来了呢？！

那一夜，我失眠。听着《杀她死》，双胞胎在我的脑海里不停打架，以至于起床上厕所差点撞到门框。

我只能安慰自己：双面娇娃没那么好当，这么辛苦自然有回报。

我一直都不敢去找段柏文，不知道该如何面对他，安慰不是，责骂当然更不是。他真的一直是个好孩子，却因为一时贪玩，换来一个如此大的后果——人生的污点。而造成这一切的，不是别人，正是我。

就要期末考试了，不知道这件事对他的影响到底有多大。但我敢肯定的是，丢失了北京的那个作文大赛的机会，他的心里一定有很大的遗憾。

至今为止，他初二作文比赛得奖的那个透明奖杯还放在我家里，就在我房间的书柜里。每次来我家，要是看到，他就会要酷说：“怎么还不扔掉啊？”

我总是气他说：“这可能是你人生唯一的一个奖杯了，多有意义啊。不能扔。不然以后你用什么教育你儿子呢？”

“我用拳头！”他一面说，一面朝我挥拳。

我上前一步挑衅，其实我很希望他会打我一下，因为他下手一定不会重，但总算是一次亲密接触。可惜他往往都只是纸上谈兵，瞪我一眼说：“这次放过你。”

现在回想起来，从小到大，虽然我总感觉他在欺负我，但其实，他从没有真正地伤害过我。反而我对他造成的这个伤害，可能是我永远都弥补不了的。

如此想来，我就更恨斯嘉丽了。

一切都是她引起的。如果当初我肯听段柏文的“离她远一点”。或许，今天的事就都不会出现了。

但如此想来，我最该恨的人，是不是应该是我自己才对？

但是无论如何，段柏文，对不起。

_ 11

段柏文的卷入，让我的复仇计划不能按照原先安排的那样继续下去。

其实我还有很多后续的想法，我不能让斯嘉丽好过。我要让她丢掉一切，包括公主的外衣，骄傲的外壳，让她不仅是在我，而且是在世人面前，都永远抬不起头来。

但是现在，事情出了点偏差，我只能按兵不动静观其变。

那天晚上我第一次在她的私密博客上留言。

内容如下：

亲爱的应召女郎：

出来混，迟早是要还的。丑事做多了，总有一天栽屎坑！

好吧，我承认我出言污秽，词不达意。但是我想把这句话喊出来很久了，实在是不吐不快。

发完以后，我就从那本厚厚的英文词典里小心地抽出她和段柏文拥抱在一起的照片，我真想把它烧掉，或者撕得粉碎。但是我还是决定先忍一忍，等到我的报仇大计成功的那天再撕掉它，作为仪式也不迟。

第二天中午在食堂，我看到了他和斯嘉丽，他们面对面坐在一起吃饭，旁边并没有别的人。斯嘉丽坐的那个位子，曾经属于我。我俩曾经把一块排骨夹来夹去，他用难得温和的语气对我说："不要减肥，你已经很好看了，减肥对身体不好。"

他知不知道，他真的很少夸我，所以当他说出这样好听的话的时候，我眼泪都差点要飙出来了呢。

那天晚上，我躺在宿舍的床上，快把一面小镜子都照破了，只为了好好体会一下，他嘴里说的"好看"这个词，到底是什么滋味。

只可惜一切时过境迁，现在，相同的遭遇把他和她紧紧地联系在一起。他们合理地成为一个世界的人。我则彻底变成一颗多余的流星。

这算什么状况？

我端着盘子，不服输地走过去，在段柏文的身边坐下。

他看了我一眼，闷头闷脑地低声说了一句："不要告诉你妈。"

"一百块。"我说。

“欠着。”他说。

斯嘉丽笑着问：“段柏文，你到底欠元气小姐多少个一百块了呀？”

“元气小姐是谁？”他又开始一贯的装傻伎俩了。

“多吃点。”我一面说一面把我盘子里的排骨夹到他盘子里。他瞪我一眼，我瞪回去。他横眉怒眼地说：“于池子，你能不能不要再闹了。”

“偏偏……”我故意省略后面的几个字。

“啧啧啧，看不下去了，我回避。”斯嘉丽笑着，端起盘子坐到了别的位子上去。

“你记性好像很坏。”我压低声音说，“曾几何时，你还反复提醒我，要离某某远一点，可现在，你靠得好像比谁都近哦。”

他没理我，而我们差不多同时看到，在斯嘉丽那边坐着的人，是横刀，他正在瞟向我们这边。段柏文轻笑一声说：“那边有人在等你。”

我也轻笑一声说：“你想跟谁坐过去就去呀，也没人拦你。”

“你什么时候脑子里能没那些乱七八糟的想法？”他讥讽地说。

“难道不是你先有那些乱七八糟的想法的吗？”我反唇相讥。

“我看你是越来越过分了，”他说，“看来你得先给我一百块，我不告诉你妈你这些言行举止才对。”

“我没钱。”我说，“我一个穷学生，哪里比得上那些分分钟就赚几千块的富婆。”

“好了！”他显然很不喜欢这个话题，粗鲁地打断我说，“很多事情并不是你想象得那样，你不要太自以为是了。”

他是在维护她，所以才批评我的吗?

明白了答案是一定的之后，我心里的酸水一下子就冒上来了。我正想问他到底知道多少藏在秘密背后的真相时，横刀不知道什么时候捧着饭盆出现在我身边，他的表情看上去出奇的愤怒。他把饭盆“砰”的一声扔到桌上，气呼呼地在我身边坐下。

我梦寐以求的场景出现了——横刀，段柏文，还有我。我本指望从段柏文脸上看到一丁点对我痛心疾首或者是对横刀嫉妒不爽的意思，但我很失望，他只是稍微抬了一下眼皮，就继续低下头扒饭。

“没想到你是这种人！”横刀用筷子敲了敲桌面，大声对他说，“竟然去酒吧那种地方胡作非为，还把自己当个学生看吗？”

啊，他疯了？他凭什么指责他！而且口气和河马阿姨一模一样!

我的脸上红一阵白一阵，伸出脚在横刀的脚面上死命踩了踩。他却像肌肉坏死了一样，继续面无表情地对他喊叫：“我警告你，你自己做这些事情不要紧，最好不要拖着于池子，她是很单纯的！”

他的声音实在太大了，以至于周围吃饭的人都停下来看着他。不明事理的人一定以为这是一场争风吃醋的好戏。此时此刻，我真想变成一枚图钉，被人用力按进墙里。

“你闭嘴！”我终于忍无可忍地呵斥他。

他却浑然不觉，继续用中气十足的声音说道：“你，还有她——”他手一指不远处还在吃饭的斯嘉丽，“你们这些人都要自觉一点，不要再闹什么笑话出来了！人，如果连起码的自律都做不到，还带坏他人，连累他人，简直是罪不可赦！”

在他说这些话的时候，我用脚直接用力地踹他也全无作用。他还是纹丝不动地说完了所有他想说的话。直到段柏文抬起头来，放下筷子，两只手鼓了一下掌，对着他说了三个字：“说得好！”

他完全没听出别人语气里嘲弄的意思，表情还很得意，把自己当成了大侠。我则心如死灰，如果我面前有一把刀，我会毫不犹豫地把它戳进横刀那愚蠢的肚子里去！

可是这种想法只维持了短短几秒种，当段柏文站起身来毅然走掉的时候，我却一点责怪横刀的欲望都没有了。因为我清楚地看到，他经过斯嘉丽身边的时候，伸出手轻轻拍了一下她的肩头，然后斯嘉丽也站起来。他们俩的背影一前一后消失在食堂的门口，像两个翅膀粘在一起的苍蝇一样，从我的视线里逐渐消失。我的心里就像堵着一块不断发酵的面团一样难受。事已至此，我做的一切到底是在报复斯嘉丽，还是帮助斯嘉丽呢？你瞧，现在，她终于可以名正言顺地和他站在统一战线上了。但是我最生气的却是他为了她连处分都愿意，却不愿意对横刀的横加指责做一点点的解释，只顾着向全世界宣扬了他们同甘共苦的精神。一想到这些，我先前对他的愧疚统统扫了个精光。

活该！

祝他倒八百辈子的霉，被处分一万次！

这一刻，我是多么庆幸我的身边还有一个本该千刀万剐的横刀。不然，我不仅输光了里子，恐怕连面子也得一同赔个精光。

所以，当他转头关心地对我说“你再吃点吧，你吃得太少了”的时候，我听话地坐下来，重新拿起筷子，给自己夹了一块最大最肥的排骨，狠狠地塞进嘴里。

“我没说错什么吧？”他说，“我本来不想管的，可是看你们好像要吵起来。不管怎么样，我是不可能允许别人欺负你的，这是我的原则。”

“那我是不是应该谢谢你？”其实这个问题，我不仅是在问他，也是在问我自己。

他咧开嘴笑了，然后回答我说：“那是当然。不过有件事我要批评你，你以后都不要花那么多钱去买什么礼物了，就一瓶小小的香水，三百多块，太奢侈了。”

我还没问他怎么知道，他自动交待说：“我去专柜看过了，虽然钱并不代表一切，但我还是太感动了。我本来想退掉，把钱还给你，但人家说没发票不让退。所以，我还是留起来做个纪念，等到将来哪一天，我买三千块的，哦不，是三万块，也不是，是三十万、三百万的东西还给你，好不好？钱就不必花在我身上啦，像我这样的人，还是习惯用SixGod这种品牌哦。”

说完，他自己先乐得不行。

SixGod！真有他的，换成以前，我应该早也乐翻了。

但现在，我一面沉默地嚼着那块巨大无比的排骨，一面就在心里悲伤地想，如果真有横刀所说的那么一天，我的命运就真是太太悲惨了。

_ 12

期末考试的前一天，天空飘起纷纷扬扬的细雪。

这天，是我妈的五十大寿。

天中下午三点就提前放假，算作考前休整。我拖着一大袋脏衣服，赶回家给我妈祝寿。为了她的生日，我甚至在繁忙的复习之余研究了一下烘焙书，打算亲手给她做一个蛋糕作为生日礼物。虽然有一个大厨妈妈，但好歹也略表一下我的心意。

往校门口走去的时候，我看到了斯嘉丽。自食堂事件后，我们已经有很多天不见面，不发短信，不联系。她站在寒风料峭的校门口，一看就知道是在等人。毋庸置疑，一定是在等他。

我小心地踩着细雪，想快速经过她，但那包脏衣服拖累了我。我的姿势显得笨拙而又难看，一看就是天生的气场不足。

倒是她大声喊住了我："元气小姐！"

看来我的道行，跟人家比确实是差了好几个档次，真是不服不行啊。

于是我也装作若无其事地跟她打招呼："哈喽。"

"我等你呢。"她说，"去我家吧，我有最新的面膜推荐给你，可以在脸上化掉的那种哦，保证你不过敏。"

"要考试了呢，还是改天吧。"这个时候跟我提面膜，真不知道她醉翁之意到底在哪盘菜中。

"去吧。"她说。

"不去啦！"我伸出手，装作拉扯一下她的小辫，那动作让我自己都恶心。

"好的，拜拜！"她也装出无奈的样子应对我。

我俩真有一拼。

我看着她的样子，忽然觉得她很丑，脸庞浮肿，使她整个人看上去大了一号，头发枯干，眼神黯淡。相由心生，因此世界上再也找不到第二个比她更丑陋的女人。我和她对视了几秒，然后点了点头，拖着我的大口袋往公交车站走去了。

她好像又喊了我一声，但我没有回头。

我打开家门，发现段伯伯和董佳蕾居然坐在我家沙发上，却见不到段柏文的身影。虽然离上一次董佳蕾到我家来"大闹天宫"已经过去了很多天，但我依然对这个疯狂的女人心存忌惮。只是如果换成现在，我绝不可能像上次那样任由她把我家搞得像个垃圾站，而会一步上前狠狠掐住她的脖子。此于池子早非彼于池子，我早该这样了，懦弱让我一无所获，只有奋起反击，我才可以做好自己的保护神。

“段伯伯好。”我说。

“池子，你放学了？”问候我的人却是董佳蕾。多日不见，她好像并不见老去，而是显得更加年轻了，脸上挂着极为甜美的笑容，对我说：“要考试了，复习得怎么样了？”

“还好。”我冷冷地答。

“去洗个手，该吃饭了。”我妈从厨房里端了一大盘菜出来。我连忙去接过那盘菜，摆放在桌子上。

“池子真懂事。”董佳蕾夸我，语气肉麻。

“柏文怎么没跟你一起？”我妈一边解围裙，一边充满期待地问。

“他给我打过电话了，说是晚上才来。”段伯伯说，“要考试了，忙得很。”

董佳蕾说：“可能在复习吧，柏文成绩越来越好了。上次月考，还是全年级第三名。这倒真是我们没想到的。”

是太阳打西边出来了，还是时间改变了一个人？董佳蕾的语气，已经变得像一个母亲。

难道他们还不知道他被处分的事吗？如果真是这样，我是不是应该提出来助助兴？

“那真好啊。”我妈开心地说，可能是怕我不高兴，又画蛇添足地加上了一句她自以为对我而言很中听的话，“对池子我就没什么要求了，她自觉了努力了就好。”

“我妈以前也这么要求我来着。”董佳蕾哈哈笑着和我套近乎。

我真不明白，我妈过生日，这个女人为什么会出现在我家里。经过“算了”事件之后，我觉得我开始不相信任何人，总担心每个人都会有自己的阴谋，在你不经意的时候，就会站到你身边来狠狠插你一刀。这种感觉在董佳蕾面前显得犹为浓烈，我真怕她会在我家菜里下什么毒药，但我又不想让我妈在情敌面前丢脸。所以我选择了对她的屁话展示出一个微笑，静观其变。

墙上的钟响了六下，段柏文依旧没有出现。

我照着食谱，一边做黑森林蛋糕，一边想到底要不要给他发条短信呢。

我妈装作来视察我的手艺，嗅了嗅我打的奶油，用怀疑的口吻说：“你行不行？”还没等我回答，又拉开窗帘，看了看窗外，说：“外面在下雪，一会儿柏文来了，你拿把伞下楼接他一下。”

哦，她还真是在乎他啊。我忽然想起临走之前斯嘉丽左顾右盼的神情，用鼻孔都能想出来，他们一定是约会去了。我想起无数电影情节里一对男女在大雪中拥抱的浪漫场景，越想越气，烤出来一个黑乎乎的蛋糕胚。

最后做出来的成品相当一般，我妈只看了一眼，礼貌地说：“谢谢啊。”口气很不真挚。看得出来她对我压根没什么期望。

我知道她惦记段柏文，她只知道惦记别人家的小孩。从小到大，她就喜欢犯这种病。但今天是她的生日，我不能表现出来，微笑着说：“晚上都给段柏文吃好了，罚他来这么晚。”

可是架子大大的柏文同学一直都没出现。

我妈做了满满一桌菜，一边给大家斟酒，一边说：“我们先吃，一会儿你们回去，给他带点菜。”

我真是佩服我妈，被如此怠慢，还能说出这么多场面话。我也真是佩服段柏文，我妈五十大寿这么重要的事情都抵不上他和某人的冰雪幽会，况且明天就要考试了，他们今天居然还黏糊在一起，真让人恶心。

本以为，这场饭局没有我和段柏文的插科打诨，会显得尴尬冷清。没想到我妈表现得很识大体，居然给董佳蕾夹菜。董佳蕾对着我妈一口一个孙姐喊个不停，段伯伯则一个劲儿夸我比小时候漂亮懂事。

董佳蕾甚至赞叹说：“孙姐，你手艺真不错，难怪柏文那么喜欢你做的饭，往后我要多跟你讨教讨教了。”

我妈说：“哪里的话，你们以后一定常来，我和池子都爱热闹。”

段伯伯接茬：“别说那么多了，先来干一杯，祝孙主任生日快乐，越来越年轻！”

“老了，老了！”我妈笑语盈盈，一饮而尽。

我这才发现，原来我生活的小圈子里，每个人都那么熟悉生存法则，连我一向老实巴交的妈都是撒谎专家。我才不信她真的盼望董佳蕾天天来我家吃饭，看着别人卿卿我我，内心的血滴了一大缸，却还不得不强作欢颜说着言不由衷的话。

哦，每个人都活得不容易。

我心不在焉地吃了一点，就假装肚子疼，回房间关上门，拎起了电话。我决心问他一个究竟，主动出击，杀他个措手不及。

电话响过两声之后，他的声音清晰地传来。

“喂？”

“怎么还不来？”我压低声音说。

“今天晚上我可能过不去了。”他说，“现在这会儿我还在忙，要不一会儿再打给你。”

又是一会儿再打给你！

我知道他不会再打来，当然我也不会再像上一次那样傻等。人吃过了教训，智商总是会高一些，从这一点来说，我感激他。

那天是段伯伯开车把我送回学校的。他还给了我三百元钱让我带给段柏文，这让我有了去找他的充分的理由。可是，已经到了快要熄灯的时间，他既不在教室，也不在宿舍。

他在哪儿呢？难道已经回家了吗？

我给他发了一条短信：“在学校吗？你爸让我带钱给你。”

他回了：“在。明天送教室吧。”

这样我就放了心，至少他确实在学校。我下定决心，连防空洞我都打算去试试看，挖地三尺也要把他们俩给挖出来！

雪一直下，不大不小，像是碎碎的米粒。地上始终是薄薄一层，刚刚积起，又化成了水。

我不想给他打电话问他的具体地点，我背着大书包在夜晚的校园里游荡，淡淡的路灯照在潮湿的地面上，发出惨然的光，耳边还刮过一阵阵若有似无的风，换做以前的我，一定害怕一个人在这样的天气里走夜路。但今晚我的好奇却战胜了恐惧，我的直觉告诉我会碰到他们，这种直觉让我呼吸急促，就像吃苹果的时候吃出一个蛀洞，也许果核里会有数条活蹦乱跳的虫。越是这样，我越是不能克制自己，想要快点掰开果核，直达真相。

终于，我看到了他们——他和斯嘉丽。

他俩靠着，在初中部某一栋楼梯间最昏暗的角落里紧挨着站着，借助昏暗的走道灯光，我看到斯嘉丽脸上罩着一个很大的棉布口罩，身上居然套着段柏文的一件滑雪服。段柏文则搓着手，背上背着她的粉红色书包。他们的头发上均有薄薄的一层细雪，看来刚刚在雪中散步过。

好一对落魄男女！

这一次我不想逃，于是我深吸一口气，走了上去。

“元气小姐！”我听到斯嘉丽隔着口罩发出含含糊糊的声音。但我装作没听见，尽量忍住怒火，微笑着凑上前，看也不看斯嘉丽，只对段柏文说：“你知道今天是什么日子吗？”

他好像没听见，而是问我：“你怎么来了？”

我是多余，当然多余，但这句问话，还是让我彻彻底底地伤了心死了心。

“元气小姐，你别误会，你们聊。我先走了。”昏暗的灯光下，我注意到斯嘉丽的眼睛，充满了红血丝，一定是刚刚在他面前撒过娇哭过。

如果这时候，还说他俩没什么特殊状况，把我的头割下来，我也不会相信。

“别走啊。”我拉住她，“如此美好的雪景，难道我来了，就不想欣赏了吗？”

“不是这样的。”斯嘉丽想挣脱我，但我拉她拉得很紧。她仿佛是想跟我解释什么，但一句话也没有说出口。

她能说什么呢?

倒是站在我身边的段柏文，伸出手来粗鲁地把我拉到一边说：“好了，她不太舒服，你让她先回去。”

“我也不舒服。”我看着段柏文说，“不过我不舒服，是因为我觉得你不应该忘掉今天是什么日子，我觉得你做人，不可以这样忘恩负义！”

“你在说什么呢？”我不得不承认，他装傻的本事，真的是一等一。

看来我妈这些年对他的好，在他眼里不过都是些不值钱的泡沫。

我站在原地不动。

他却瞪着我说：“你先回宿舍吧，快熄灯了！”

我把那三百块钱从口袋里掏出来，愤怒地扔在他面前的地上，然后转身飞跑，离那对狗男女越来越远。

这一次，我不会再流一滴泪。

_13

那次期末考试，我考得一败涂地，全班倒数第三。

寒假开始以后，我整个人变得空虚和迷茫。我在超市买了很多零食回来，每天什么也不做，就是往沙发上一坐，一边看肥皂剧一边从早啃到晚。

仗打久了，就需要休息。更别提这场战役无休无止，根本看不到头。

我有些厌倦，有些懈怠，更多的是悲伤。

横刀高三，比我们要晚放假一周。他每天抽空给我发信息，告诉我没有我的天中，对他而言就是一座空城。

这算是情话吧？可是我一点儿也不感动。

我已经放弃我喜欢的人，所以也请喜欢我的人放弃我吧。

这样才是真正的解脱。

我妈在公司做财务，每到年底，都是她最忙的时候，常常加班加点不说，有时候还要带活回家干到三更半夜。下班以后，她用冰凉的手摸我的脖子说：“你每天在家什么也不做，帮我取取暖总可以吧！”又说，“考差点也没啥，妈小时候成绩就一般，不要求你。”

以前我考不好，她恨不得给我扎个冲天辫，好把我吊在天花板上揍我。不知道为啥，现在她好像转性了，连我的成绩她都可以不在乎。换了别的孩子，估计早就为这话感动得热泪盈眶。我却只有愧疚，恨不得狠狠扇自己一巴掌。

“老妈。”我靠在她肩上认真地问她，“我要是将来没出息，不能为你养老，你恨不恨我？”

“说啥呢？”她拍拍我的脸，“我老了，你有空还能陪陪我，妈妈就很高兴了。”

“光我陪你，你就觉得幸福吗？”偶尔，我也想探探她的口风。

“当然，对妈妈来说，幸福就是我和你。”

她这么一说，我觉得我想哭了，真的觉得自己好对不起她。作为她的女儿，我从没给过她足够的骄傲。成绩平平，长相平平，无任何特长，连一个生日蛋糕都烤不好。她却从不嫌弃我。我真是没用。

所以我决定振作起来，抛弃那些无聊的困扰着我的鬼东西。起码在这个假期里，我要学会做几样拿手的菜，让我妈好好过一个轻松的年。

我准备从包饺子学起。这是每年过年，妈妈都会做给我们吃的东西。白菜馅的水饺，配上我妈特制的香辣酱，他每次一吃就是一大盘。

当然我不是为了他而学，从今往后，我都不会再为了他做任何脑残的事。我这样只是为了向我妈证明，我也不是那么一无是处，至少在努力学着懂事。

那天下午，我正在家里奋力地揉着一个面团的时候，门铃响了。我以为是来收电费的，谁知道打开门来，竟看到段柏文。他好像并不介意我欢不欢迎他，拎着两大袋东西自顾自地挤进门来说："送年货来了！"

我一声不吭，回到厨房继续揉我的面。

他关上客厅的门，走到我身后，问我说："晚上你是主厨？"

"没你的份！"我说。

"于大妈。"他说，"看来我们得聊聊，我究竟哪里得罪你了，你说出来，我也好改啊。"

油嘴滑舌，真让人讨厌！

可我不知道该怎么回答，只能把一肚子的气，全出到面团上。

"要我帮你做点啥吗？"看他的样子，根本就没有要走的意思。而且，刚问完这一句，他就已经动手洗大白菜了。

"别动我的白菜！"情急之下，我大喊一声，冲过去关水龙头，没想到却关成了反方向，水溅了他一身。

他也不发火，而是笑嘻嘻地说："那好吧，我去客厅看电视，等着吃喽。"

"谁说给你吃？"我可不想给他留什么面子。

“你更年期啊！”他瞪着眼睛吼我，“脾气那么大！”

我一股脑儿回过去：“你才更年期，你妈更年期，你爸更年期，你全家更年期！”

他平静地说：“看在我妈已经不在人世的份上，你可不可以不要骂她呢？”

我这才惊觉自己的过分。其实我常常都会想起他的妈妈，那个温柔漂亮的女人罗阿姨，她有着和段柏文一模一样的眼神，她好像从来都不会像我妈那样扯着嗓子说话。我也记得当她搂我入怀对我说“池子，咱们去把手洗洗再吃饭”的时候，身上散发的那种独特的香味，也是我在我妈妈身上从来都没有闻到过的。

“对不起。”我快速地道了个歉，没敢看他，继续跑去对付我的面团了。

他走出了厨房。

我以为他会生气地离开我家，我甚至想赶紧冲到客厅跟他说一句“不怕被毒死就留下来吃完饺子再走”之类的屁话。但还在我犹豫不决的时候，他已经又回到了厨房，站在门边，背着手，对我说：“过来。”

“干吗？”我粗声粗气地问。

“叫你过来就过来，把手洗干净。”

我满心狐疑地到水龙头下洗了手，走到他的身边。他这才把背在后面的手伸出，伸到我面前对我说：“看看是不是你想要的？”

那是一个不大不小的纸盒。我打开来，发现里面装的竟是一个玻璃的音乐盒。以前我有一个差不多的，但不慎被他打碎了。那是我十岁的时候他妈妈送给我的生日礼物。为此我难过很久，却不曾责备过他半句。

“这个款式很老，我在网上找很久才找到。”他说，“这是欠你的圣诞礼物，不过我还欠你很多钱，欠你好多人情，以后我慢慢还。”

这都是什么跟什么啊！我鼻子酸得眼泪马上就要掉下来了，不能呼吸，心脏也快停止跳动。但我还是强撑着说难听的话：“哪里搞来的鬼玩意啊，好土的。”

但其实在我的心里，这比横刀送我的七件礼物，宝贝七百倍、七千倍，哦不，七万倍都不止。

他早就习惯了我的无礼，像没听见我说什么一样。而是把音乐盒上了发条，放到客厅的茶几上，玻璃小人开始起舞。叮咚的音乐声中，我心里对他种种的恨，忽然就决了堤。就算他喜欢什么韩卡卡、斯嘉丽，那又怎么样呢？人家就是比我有才，或者人家就是比我有型。但不管怎么说，于池子始终是他心里不能替代的那个发小，那个青梅，这难道不是已经足够了吗？

我第一次觉得，重复妈妈的命运，其实也不是那么可悲。

就在我感动得一塌糊涂，准备请他进厨房和我一起包饺子的时候，他又弯下腰来，从一个口袋里掏出一瓶香水，对我说：“还有，这是我早就买好，给阿姨的生日礼物，送迟了一些，希望她不会介意。”

我盯着那瓶香水看。

如果我脑子没坏掉的话，应该就是斯嘉丽买一送一的那款女式香水！

“哪里买的呀？是不是很贵呀？”我不动声色地问他。

“这你就不用管了。”他说，“先说阿姨会不会喜欢？”

“她不会喜欢的。”我说。

“为什么？”他多少有些吃惊。

“因为她喜欢你自己挣钱给她买的礼物。”我一语双关地说。

“哦。”段柏文摸摸头说，“还真是我自己挣钱买的，不过你别告诉她，不然她又要问东问西的了。”

“我倒是很感兴趣你怎么挣的？”我拿着那瓶香水问他，“这个东西我知道很贵的，不过是买一赠一的吗？”

“还真是。”他说，“所以也不算很贵，我还送得起。”

我那个刚决堤的口，又悄悄地堵上了。洪水再次泛滥，可我已经失去所有缓解灾情的欲望。

让暴风雨来得更猛烈些吧，反正我已经一无所有。

我那天的饺子，包得很成功。可是他没能吃到，因为他中途接了一个电话后就匆匆离开了。不用说，我知道那是谁的电话，斯，嘉，丽！他拿人手软，怎么可能不听人家的话呢？说不定此时此刻，他已经和斯某人共享了她的银行卡、手机卡、IC卡、IP卡！我一面胡思乱想，一面在饭桌上把他的礼物推给我妈，我妈竟然红了眼眶。比起我那个黑乎乎的失败的黑森林，他的礼物明显要更有档次和品质，我甘拜下风。

虽然这份礼物，他明显是从女人那里骗来的。

可是无耻这件事，要是藏在深处，就会变成荣光，你真是不服也不行。

所以，我也不必为我某些无耻耿耿于怀，别人都欠了我，我不过是躲在暗处自卫反击了一小回，有何错？

夜里十点，我回到房间，来到阳台上，关上阳台的门，狠狠地摔碎了那个会唱歌的玻璃小人。我蹲在地上，看着那一地闪亮的碎片，如同看到我一颗永远破碎的心。我不由自主地伸出手去抚摸它们，手指被划破，有鲜血滴落，可我竟一点也感觉不到疼痛。

没有心的人，大约都是如此的吧。

如此甚好，正合我意。

小白脸段柏文，永远都别让我再见到你！

_14

大年二十九，我妈突然病倒了。

我妈在我心目中一直壮如牛，好像从小到大，我都没见她吃过一粒感冒药。所以，当我得知她晕倒在公司洗手间并被送去医院打点滴的时候，我腿都吓软了。

我在出租车上给段柏文的爸爸打了电话，因为我不知道除了他，还可以求助谁。但他人在南京，只吩咐我有什么情况马上给他打电话。我独自到了医院，下了车一路小跑跑到我妈病房的时候，发现她睡着了。她静静地躺在那里，脸色发青，眉头紧蹙，眼角的皱纹清晰可见。

医生的诊断为：疲劳过度。

送她来医院的同事见我到了，只跟我简单说了一句“你在这里看着，点滴快完了记得去喊护士”，就丢下我们匆匆离开了医院。

我完全不知道该怎么办，不知道她醒了我该给她弄点什么东西吃，是带她回家，还是让她继续留在这里？我打开她随身的小包，钱包里只有几百块现金，我也不知道该付的费用是不是已经付完？而点滴快完的时候，我该到哪里才能找到护士？

此时的我，跟一个白痴没有两样。

我傻傻地、无助地坐在那里，守着我熟睡的积劳成疾的妈妈。过了好一会儿，终于有护士肯过来望一眼，我弱弱地问她："我妈没事吧？"

"没什么大事。不过以后要注意，钱是挣不完的，身体才是第一。"

"什么时候能出院呢？"我问。

"要看病人恢复情况。"护士说，"谁也不愿意在医院过年，但是这是没有办法的事。看运气吧。"

我真想抽她，医生是干什么的，不就是救死扶伤的嘛！可眼下我妈躺在这里，她居然冷冷地让我看运气！

就在这时候，我妈醒了，她动了动，半睁开眼睛，看了我一眼，艰难地吐出一个字：水。

我跳起来，四处看看，不知道哪里可以弄得到水给我妈喝！我一把抓住就要出门的护士，冲着她喊："我妈醒了，要喝水！"

"走廊那头有饮水机。"她看我的表情好像我是怪物，手一指，走掉了。

我飞快地往她手指的方向跑去，却压根见不到什么饮水机，跑了好几个来回，又问了个病人家属，才知道放在洗手间左边那个大笨家伙就是。我发誓我从来没见过这么大的饮水机，以前见过的所有饮水机，都不是长成这个样子！

更可恶的是，就算我找到了机子，可是我没有杯子！难不成要我用掌心捧水给我妈喝吗？

我像只没头苍蝇一样在走廊里转来转去。就这样一头撞到了某人的怀里。他拉住我的胳膊说：“于池子，你在干吗？阿姨怎么样了？”

“我妈要喝水，我找不到杯子！”我说完，抱住他就哇哇大哭起来。

这应该是第二次。第一次是在学校的操场边。那一次我差点被“横刀夫人”毁了容，他救我出来，我也是这样抱着他哭得死去活来。真正大难临头的时候，我真的一点用都没有。他用手在我背上轻轻地拍，每拍一下，我就哭得更大声，更悲怆。幸好，他没有因为这样就像上次一样粗暴地推开我，而是轻声说：“够了没？”

后来他去护士那里要了一次性的杯子，帮我妈倒了水。又去自动取款机取了钱，交了费，办妥了一切手续。

我就像个小尾巴一样跟着他，看他取钱、交钱、要发票，跟他去喊护士、打水、打饭。

其实他所不知道的是，我多么希望自己可以永远当他的一个小尾巴。可以不必费尽周折去争取，也能拥有最盲目的幸福。

那年的大年三十我们是在医院里度过的。医生说，我妈情况不是很稳定，就算暂时出院，第二天一早也要再回来。如果坚持出院，出了什么事，医院不负责。

“不折腾了。”段伯伯说，“我们都来医院陪你过年。”

那晚，偌大的病房里，只有我妈一个病人。段柏文送来了他家包的饺子，味道不如我妈做得好，也没有我做得好。但因为有段柏文陪我们吃，我妈看上去很高兴。

消失了很久的斯嘉丽，发了一条短信给我："元气小姐，春节快乐！过两天一定要找我玩！！我有秘密告诉你！！"

这么多感叹号，不知道她有多兴奋。我已经很久不上她的黑暗博客，甚至决心在新的一年里尘封所有的不快，没想到她还是要在年末狠狠地扫一把我的兴。

我没有回复。

谁回复谁傻X！

段伯伯是晚饭后过来的，董佳蕾没来，说是在娘家陪她父母，但是给我妈送了鲜花。那花一大束，红红黄黄绿绿的，给病房增添了不少生气。但段柏文还是趁他爸不注意，拿起来把它放到门外去了。

"你还看不惯她啊？"我说，"她好像变乖巧了很多哦。"

"你妈对花粉过敏，你不知道啊？"他责备我，"你自己不也是？"

原来他这么有心，真是弄得我乱感动，恨不得做牛做马来回报他才好。

"吃完了你们就出去玩玩吧。"我妈说，"医院里闷得很，空气也不好。"

"去玩吧，注意安全。"段伯伯也说，一面说一面从口袋里掏出两个大红包，一人递一个。

我一把抢过来，段柏文装假，还有点不好意思的样子。

我妈从来不给我们红包，擅长理财的她给我和段柏文都买了保险，每年年底的时候存入一笔钱，据说到十八岁以后，我们就可以像领工资一样每月有钱可拿了。他在我妈那里，总是和我一样的待遇，所以，他一定要回报我才算公平。

“我要去放烟花。”我对段柏文说。

“除夕晚上的烟花卖得很贵的。”他真是假透了，拿着红包居然还哭穷。

只有我妈中招：“去看看也行，不一定要自己放。”

“放，放。”他笑着对我妈说，“阿姨，我逗她呢！”

那天他真的带我去放烟花。我们买的是最便宜的那种，叫小星星，两根长长的细棍子，点燃以后可以在手上停留一分钟左右的时间。段柏文把点燃的烟火送到我手上，我矫情地问他：“是不是很像流星雨呀？”

他说：“像狼牙棒还差不多。”

“你开心不？”我不甘心，不惜学萝莉眨着眼睛问他。

“你开心不？”他学我的口气，捏着嗓子说话，“是不是很像流星雨呀？”

我踹他，他踹回我，恶狠狠地说：“你当我是横刀啊！”

算了，估计我最渴望的温情脉脉的浪漫场景，在我和他之间，这辈子都别想出现了。只有横刀会完美地配合我，但可惜他不是我想要的那盘菜。

或许爱情就是这样的，永远都遇不到最对的那个。当遇到的时候，却都老的老，死的死，徒留一声叹息。

但至少曾经这样快乐过，在我十七岁这年的新年里，拥有这个浪漫的烟花之夜，我只觉得死而无憾。

年后，我妈终于可以出院。

病来如山倒，病去如抽丝。出院后，我妈还是在家静养。

那些日子，段柏文再次成为我家的常客，一来就给我妈切水果，倒茶，服侍她吃药，还坐在床边陪我妈说话，马屁拍得没话说。

“以后你别一大早出去买菜了，我买好带过来。”他穿上了围裙，俨然把自己当成男主人，卷着袖子干起了家务，还嘱咐我：“你负责做饭就可以了，其他事都我来啊。”

我走进卫生间，把马桶刷拿出来，故意伸到他脸前，说：“马桶也归你刷！”

他拽过刷子就冲进卫生间，我听到哗哗哗的冲水声，他竟然真的在刷马桶。我冲过去夺过刷子，忍无可忍地说：“别刷了。”

他歪着嘴笑了笑，压低声音说：“算了，就当我替横刀在你妈面前尽孝了！”

我又毫不犹豫地在他腿上踢了一脚，气鼓鼓地跑出去，坐在沙发上佯装看电视。横刀长横刀短，哪壶不开提哪壶。横刀这个时候也该放假了，我真怕他忽然一个电话，邀请我去他家吃个饭啥的。万一真是这样，我就只能死在他面前以示清白了。

几分钟以后，他从卫生间出来，坐在我旁边。

我往旁边挪了挪，他就往我这里靠了靠。我再挪了挪，他又靠了靠。直到我快坐到沙发的扶手上，他才往回坐过去一点点，身子侧过来，对我伸出双手，手心手背轮流给我看过，说：“我洗过手了哦。”

说完，他就拿起桌上的水果刀，麻利地削好一只苹果，扔掉外皮，对我说：“赏脸尝一口？”

那一刻，我的心已经化掉了，整个人飘到空中去。但我还是，熬了三秒钟，才凑过去咬了一口。

我闻到他手上的橘子味洗手液的味道，几乎要淌下泪水来。

“你不恨我了吧？”他问我。

我咬着苹果，努力地摇了摇头。

“恨，还是不恨？”他不明白。

我还是摇头。因为我的心里，也没有真正的答案啊！是谁说过，爱的极致就是恨，恨的极致就是爱。这样高难度的问题，叫我怎么回答他呢？

但不管怎么说，就是这样，我们之间好像又回到了最初。他天天都来，早晨八点报到，晚上八点离开，比上班还准时。

他买菜，我做饭，我们甚至一起打扫家里的卫生，一起去超市买东西，剩下的时间看看书，写写作业，陪我妈看电视，打瞌睡，说笑话。

那几天，我真的体会到了久违的快乐。有时候我会想，如果段柏文是我的哥哥，我也知足了。亲人是一个人身上一辈子都割舍不去的一部分，我也可以名正言顺地让他离某些女生远些，也可以名正言顺地拥有他的宠爱，直到天荒地老。

那天晚上吃完晚饭，我让他教我数学题。

“你招呼也不打，就把我一个人丢在理科班。”我说，“我现在成绩差成这样，你起码得负一半的责任。”

“不喜欢理科还选理科？”他说，“你就是这么任性。”

“谁说我任性？”我回答，“你和我做同桌的时候，就嫌弃我。我走了，你不高兴坏了才怪！”

“胡说，我还挺想你的。特别是没饭吃的时候。”他头也不抬地在草稿纸上演算，没有看到我红一阵白一阵的脸。

什么叫挺想的？“挺”的意思，是超过百分之五十，还是不到百分之五十？比一点点想还要多一点？还是比较想的意思呢？总之不是非常想，也不是特别想，最后我的脑海里浮现一个词：鸡肋。

我对他来说，只是鸡肋而已吧！

我正胡思乱想，他又神秘兮兮地说：“不过，我帮你打扫卫生的时候有发现……”他说着，从我的床底下拉出一个塑料袋。一看到那个塑料袋我就差点晕过去。他却饶有兴趣地把塑料袋打开，抽出那条有破洞的牛仔裤！好吧，我承认，我已经忘记了它的存在，但它看上去确实傻透了。

“横刀给你买的？”他指指，说，“老实说，这些衣服鞋子真的很不适合你。我看他的品味真有待提高。”

“不要随便翻人家的东西啊！”我扑过去，把那条裤子抢过来，卷起来，用脚踢到床下，憋出来两个字，“胡说！”

“哦。”他佯装老到，“谈恋爱也不算什么大秘密，就是不能太放肆。”

“那你呢？”我牙尖嘴利地反击，“雪中漫步算不算秘密？酒吧约会又算不算？”

“你真的想多了。”他说，“我和斯嘉丽没什么秘密，我和韩卡卡更没什么秘密。她们都不是我喜欢的类型。”

我呆住了，正怕他说出喜欢的是我这种类型之类的让我彻底疯掉的话语来时，他从地上捡起那个塑料袋，又掏了掏，掏出一个相机。

说真的，我当时脑子里完全没有对那个已经被我忽视很久的“作案工具”有任何的概念，而是沉浸在他刚才的一番有关秘密的论述中。直到反应过来时，他已经在灵活地摆弄它了。

我如梦初醒，心想，我应该已经把所有的照片都删了吧……删了吧……可是，似乎……还有一张……我没舍得的……

我缓缓地站起身的同时，他抬起脸，一脸错愕和难以置信的表情，脸色苍白得可怕。然后他把相机摆在了桌上，指着那张因为抖动而模糊，却能清晰地看出他和某人紧紧相拥的照片，问我：“你是不是把你的相机借给什么人了？”

晴天霹雳下，我患了失语症。

但他不依不饶，举起来，凑到我鼻尖下，让我仔细看清楚，继续追问：“是不是横刀？是不是？”

此时此刻，我只好，真的只好，选择了沉默。

“我会灭了他。”段柏文那天最后说。

_15

寒冬的天中，万物沉睡，天空中飘着灰色雾气，校园里没有人的气息，却有很多叫不出名字的灰色大鸟飞来飞去。

这么冷的天，难道鸟儿们不该都飞往南方过冬吗？还是它们已经迫不及待，想要早日飞回来，迎接春天？

那天，我一早就来到了学校，在操场上走了好几个来回。操场上的雪化了，余留一些小水坑，像一只只迫切的想要洞悉真相的眼睛。

我低下头，从镜面一样的小水坑里看我自己。

不看不知道，看了吓一跳。我发现我以前一直有些耷拉的嘴角，现在竟然也像斯嘉丽的嘴角一般，学会了上扬。但不比那寒假前最后一次见到的斯嘉丽好看半分，一样的大饼脸，一样的毫无生气的于池子。

要变成另一种人，究竟有多困难，我说不上，但至少不会比眼睁睁地看着别人夺走你的爱人更加困难。

他是我的，从七岁的时候，我就这么想。我付出太多，怎会舍得放弃？所以，哪怕是一错再错，我也要做最后的争取。

想到这里，我迈开脚步，往花蕾剧场走去。

横刀早已经等在那里了。

他怔怔地看着我，表情十分白痴。大概是因为我来之前梳洗打扮了一番，再加上新年新衣的缘故。

“米粒儿，你真漂亮！”他喃喃地说着，语气像赞叹一幅画。

算了，我既然有求于他，自然不能和他为一个称呼再较劲。我只是努力地呼吸呼吸再呼吸，希望可以早一点让预谋已久的泪水顺利地流下来。

“别怕。”他得寸进尺，伸出手在我的帽檐上拨弄了一下，安慰我，“一会儿他来了，一切交给我就是了！”

怕？我怎么能不怕？怕事情败露，怕情何以堪，怕在横刀和段柏文面前，我的标签从善良可爱美好单纯变成“原来你是这种人”。

其实我最怕的，是那一天段柏文看我的眼神——百分之百不含杂质的信任和同情。其实，他哪怕只一丁点地怀疑我，我兴许就破罐子破摔地交代了真相。可是，他怎么可以用那样的眼神看着我？那么温暖和信任的眼神，想当然地认定这一切是横刀所为。叫我怎么舍得撕掉我的面具，让他看到真实世界里的我，竟然也会使用如此卑鄙的伎俩，令他防不胜防。

我好希望自己变成不怕寒冷的鸟，用冰冷的体温来抵抗这个残酷的世界。

但可惜，我只能变成结冰的鱼池子，虽然表面看上去坚硬无比，却丝毫经不起温暖的泛滥，最后无可抗拒地溃成一汪倒霉的水。

那晚，我躲在阳台上给横刀打电话。

“新年进步！”他很开心，“我考得不错呢，进了前十！”

“横刀，我有一个秘密要告诉你，你愿意为我保守这个秘密吗？”

“我愿意！”他的声音像在婚礼现场发誓的新郎，除了激动，还是激动。

“还记得斯嘉丽和段柏文被处分那件事吗？其实事情曝光，是因为有人把一封检举信和一些照片塞进了河马阿姨的办公室。”

“是吗？”横刀说，“这我还没想到，谁干的？”

“我。”我说。

电话那端沉默了很久，我才听到横刀用充满敬佩的声音夸我：“我的个乖乖，你这算是大义灭亲啊。”

“我只是不希望他在那条路上越滑越远，但是现在，我遇到麻烦了，段柏文在我数码相机里发现了那些照片。其实被他发现本来没什么，但是，他是我妈妈的干儿子。我妈妈年前生病住院了，我不想让我妈知道这件事是我干的，怕我妈不能理解。所以，我很希望你能帮帮我。”

“你妈责备你，就全怪在我身上好了，没问题。”他回得很简单，也正中我下怀。还算聪明。

我做作地说："当然，你也可以不必帮我承担，自己做的事情，总是自己承担比较好。我只是很担心我妈妈的身体，医生说她不能受刺激。"

"算我的了。"横刀说，"你不用再担心。"

"那么，明天你可不可以为我在段柏文面前解释一下？再晚我怕他会到我妈面前去告状。"

"有这个必要吗？"他好像有些犹豫，"我想见你，但我不是很想见他。要不，我在电话里跟你妈解释一下？"

"你怕了吗？"

"不怕！"他说，"当然不。"

"谢谢你。"我生怕他后悔，赶紧道谢。

就这样，我煞费苦心地安排了今天的鸿门宴。等主角一一出场。当然我通知横刀的时间，比通知段柏文的早了半个小时。

"我可不可以问你一个傻问题？"等待的时候，横刀问我。

"问吧。"

"如果，我是说如果，我和段柏文同时掉进水里，你会救哪一个呢？"

果真是个傻问题。

我脸不红心不跳地回答："你。"

他听我这么答，脸忽然就变红了，看着我的眼神像是要把我吃掉一样。我心怀鬼胎心术不正，只能别过头去跟他说话："待会儿他来了，一定很生气，讲话会很难听。你千万别激动，有话好好说。算是为了我，好不好？"

“好啊。”他轻快地说，“米粒儿你放心。”

我终于敢转头看他，他脸上的红潮还没有褪去，估计还在为我刚才撒的那个谎心潮澎湃。我在心里跟他说着对不起，这个大好人，我利用了他，而且不止一次。我发誓，这件事情过去以后，我一定会好好报答他，而且，绝对出于真心。

如此一想，等待的忐忑和不安总算消去了不少。

段柏文如约而至。他是用钥匙开的门，直接从大门进来的。果然是学校里的人物，比我们这些翻门翻窗的就是高上一个台阶。

逆光，我看不清楚他的脸。我的心已经跳得不能再快了。

我有过很多设想。

比如他和斯嘉丽一起出现。

比如他上来就让我走开，说此事不关女人的事。

比如他摆出谈判的姿势，跟横刀吵架讲道理。

但是他还是做出了我最最想不到的举动——他一句话都没说，上来就给了横刀一拳。

那一拳很重，横刀嚎都没来得及嚎一声，就捂脸倒地了。等他再次站起来的时候，我看到他的鼻子变成了红色，像麦当劳叔叔一样。

“不要！”我伸出双手拦在横刀面前，看着段柏文说，“有话好好说，别动手好不好？”

“你给我站一边去！”段柏文用命令的语气对我说道，“等我把他打残了，你再替他求情也不迟。”

说时迟那时快，段柏文上前一步，一把拎起我的胳膊，把我拎到了他的身后。慌乱中，我的围巾掉在了地上，被他踩了一脚。我去扯围巾，段柏文没发现我的动作，一只脚后跟踢到我脸上，我整个人跟着倒在了地上。

看到地上的滴滴血迹，我才发现我流鼻血了。受伤的横刀跟高大的段柏文，显然不是一个段位的，而且段柏文的脾气我知道，一旦发起疯来，命都可以不要。所以，我冲上前，从后面死死抱住他，对横刀喊道："你走，走啊！"

可是横刀的注意力此时却完全放在了我狼狈的脸上。

只听他低吼一声，纵身扑向了段柏文。我条件反射似的弹开了，他的个头远远没有段柏文高，但他跳得很快用力也很猛，就像一颗炸弹一样跳到了段柏文身上。段柏文整个人往后倒去，倒在身后的椅子上，一整排椅子跟着哗啦啦被弄翻，发出很大的声音。

横刀狂喊着："弄死你弄死你！"然后一把掐住了段柏文的脖子。

我大声哭喊着，爬过那些椅子，想拉开他们，可是踩到一张倒地的椅子，就摔翻了。

横刀像没听见我的叫喊一样。他已经疯了，我看到段柏文的脸色变青，虽然用手去拨横刀，但是压根使不上劲。不知道为什么横刀的力气有那么大，他竟然腾出另外一只手去拿身后的椅子，我的脑海里立刻浮现出横刀举起椅子朝段柏文脸上劈去的一幕，吓得眼前一黑差点晕过去。危机来临时我脑中灵光一闪，从口袋里掏出了我一直放在里面的那瓶防狼喷雾，对着横刀的脸就喷了过去。

横刀发出一声我永远都不会忘记的惨叫后，松开了掐着段柏文的双手，捂住了眼睛。

我发誓，我如果知道这玩意儿这么难闻，杀伤力有这么大，我永远都不会使用它。整个花蕾剧场都弥漫着呛人的辣椒水的奇怪味道，让人恨不得把五官都集体锁起来，才可以免受侵害。

当我被呛得头昏眼花满脸泪水，终于站直身体的时候，我看到横刀的背影，像只小老鼠一样，在那个窗口一闪，转瞬消失不见。

段柏文从地上慢慢地爬起来，只见他揉了揉脖子，揉了揉眼睛，再揉了揉鼻子，这才站直了身子，看着我。

“你没事吧？”我眼泪汪汪的，吓丝丝地问他。

他伸出手来，从我的手里拿到那个鬼玩意，皱着眉头研究了一下。然后他扬起手臂，将它远远地抛出了窗外。紧接着，他伸出一根手指想要替我擦去鼻血，我则头往后仰，让开了。

“你是不是还打算继续跟这种垃圾交往？”他垂下手，问我。

我没有吱声。

“我问你话！”他总是这样，动不动就对我发脾气。我敢保证，他在斯嘉丽、韩卡卡之流面前，永远都是有风度的那种绅士。

“那你是不是打算继续跟斯嘉丽那种垃圾交往呢？”第一次，我仰起头，在他面前几乎是嘶吼着提出了我心里最想知道的秘密。

“你知道个屁！”他竟然用粗话骂我。

我条件反射地扬起一只手，想要打他，但是手上一点劲儿都没有，我打不下去。他却一把拉住我扬在半空中的手，大声对我说：“你跟我走！”

“去哪里？”我想要挣脱他。

他理都没有理我，而是走到大门那里，大力推开了那扇沉重的大门，并一把把我拽了出去。

一阵很大的风吹过来，吹在我流泪的脸上和流着血的鼻子上，很冷，很痛。

我不知道他会带我去哪里。就如同他不知道，即使我再无知再可恨，即使这个双面计划再失败再愚蠢，我做的这一切，也只是渴望一丁点儿，真的只是像一片落叶那样一丁儿点重量的，他的爱。

_16

我完全没想到，段柏文要带我去的地方，竟然是斯嘉丽的家。

斯嘉丽的房门是他推开的，我看到她躺在床上，在挂水。

她还是斯斯公主吗？

我差一点没有认出她来，她的脸浮肿得要命，两只眼睛一点神都没有。昔日有型有范儿的斯嘉丽仿佛一夜之间就变成了这个怪模样，这是为什么？

难道这就是她在新年短信里想要告诉我的秘密吗？

“我没有对任何人说出你的秘密。”段柏文对躺在那里的斯嘉丽说，“你要相信我，不过，我觉得你可以亲口告诉于池子。你们是朋友，不是吗？”

段柏文说完这些话，离开了斯嘉丽的家。

房间里就只有我们俩。

我自觉窘迫，因为我们看上去两败俱伤。

先开口的人是她，我以为她势必要问及我的鼻子，没想到她没有。

“好久不见。”她比我自在多了，微笑着，对我伸出那只打点滴的手，“给我一点元气，替我暖暖。”

我只能握上去。

她把脸缩进被子里一半，只露出眼睛，看着我，问：“我难看不？”

我握着她冰凉的手，摇摇头，说：“比我好看。”

没想到她却笑了。

“怎么会这样？”我轻轻用手指点了一下她的脸颊，刚刚按过的地方就凹进去一块，就像一块冰凉的橡皮泥。就算是过敏得最厉害的时候，我也没有落到过这种地步。

斯嘉丽说：“元气小姐，看来，我不得不把我的秘密告诉你了。你听好哦，这个秘密就是，其实，我并不是一个健康的人——我有先天性糖尿病，天天都需要打针。我表姐就在医院工作，所以每次我都去找她打，可以免费。但我不想让你知道，也不想让任何人知道。因为，我希望我在你心中，一切都是那么美好，我需要这种感觉。它对我来说很重要。听上去很傻啊，但是，你真的能给我元气的哦。每次看你咧着大嘴傻傻地笑，我就觉得，这个世界还是很美好的呢。”

“有病就治啊。”我苍白地说，“你还成天把自己搞得那么忙！”

“我再忙，也没有我爸妈忙。我身体不好，他们还整天在外面忙他们的生意，连一分一秒的时间都不愿意给我。钱对他们来说，比我这个女儿重要很多。我就是病死在家里，估计他们也不会在乎。所以，我不想用他们的钱，我宁愿自己去挣，然后自己买衣服，买化妆品，买一堆没用的东西。我喝酒，过度劳累，把自己弄得乱七八糟，只希望可以多吸引他们的注意力，让他们关心我一点。听上去，很傻吧？不过你放心，你的段柏文跟我不一样，他去酒吧，纯粹是为了打工挣钱，他说他爸爸欠了很多债，他是去挣生活费的。他是一个顶天立地的男人，至少我是这么想的。元气小姐，我向你保证，我们真的没有做任何不好的事情。可是我们倒霉，被处分，被人瞧不起。我被处分后，学校打了电话给我爸，我爸知道后就把我暴打了一顿，你还记得那天放学，我求你陪我回家吗？其实那天如果你肯陪我回家，他是不会打我的。他这个人死要面子，如果有同学在，拼了命也要装出慈父的样子来的。但是你不肯，我又没有什么别的朋友，所以那天，我被他打得很惨很惨，我跑到学校，遇到段柏文，是他陪我，安慰我，我很感激他。可是元气小姐，请相信我，我真的当你是好朋友，我不会做出你想象中的那种龌龊事。即便我真的很喜欢谁谁谁，我也会守口如瓶，这是我永远的秘密，我不会讲……”

我看着躺在那里的斯嘉丽，觉得我完全不认识她了，这是我和她在一起的时候，她说过的最最朴实也最最冗长的一段话。就像一个兀自播放的留声机，我没有打断她，而是侧耳倾听。就像她从前常常对我做的一样。

原来“偏偏喜欢你”，不过是张国荣唱过的一首歌。

原来她那套行头不过是为了给某品牌的MP3做促销员而量身定做的。

原来她在酒吧里喝成那样，只是为了五千块钱。

原来她放纵自己，只希望爸爸妈妈多看自己一眼。

原来她从来不吃糖不是怕长胖，而是她有糖尿病。

……

我的心又开始痛了，嗓子里发不出一个音节。虽然她做作、臭美、虚荣，可至少，她懂得真实地活着。

和她坦荡荡的真相相比，我的那些龌龊难言的谎话和对这个世界根深蒂固的偏见，要怎么讲给这个被我害得下场落魄的公主听？

我羞愧得快要闭过气去。

我在她的床边发现了一个暖水袋，去厨房灌起热水来，让她的手腕枕在上面，又帮她把她乱七八糟的发型重新梳理了一遍。

做这些的时候，我的心扑通扑通跳得很快，真的差一点就把真相说出来。可是，我始终没有勇气说出一个字。我发誓，从此以后，再也不自以为是了，只有让我自始至终都在臆想的独角戏彻底落幕，才算对得起所有观众。

走出斯嘉丽的家，段柏文正站在路边等我，他竟然咧着嘴开心地笑，似乎已经忘记了刚才的一场械斗。

他只是问我："你说那家伙是不是该打呢？"

我没有回答，而是问他："如果我和斯嘉丽掉在水里，你会先救谁？"

他叹息说："能不能拜托你不要整天问我一些傻里傻气的问题

呢？你能不能稍微对你的朋友有一点点起码的信任呢？”

“谁？谁是我的朋友？”我问。

“斯嘉丽，还有我。”他说，“难道你不把我当朋友？难道你不知道我一直把你当成我最好最好的朋友吗？”

喔，这个答案，离我心里真正的答案，原来真的有距离。我一直以为我们是恋人未满，或者是半糖主义，没想到，只是最好最好的朋友，只是朋友而已。

就好像在那一瞬间，我明白了命运的安排，并且，第一次没有想去奋起反击。

所以，我竟然也可以笑着对段柏文说：“其实，你和斯嘉丽也不是不可以谈恋爱的，但是，要把她的病治好，不然会影响将来的哦。”

“又找抽了！”他恶狠狠地对我说，“以后再跟那个垃圾有来往，我就把你的腿打断！”

我很想很想说“他不是垃圾”。但我又因为没有勇气而放弃。因为如果我这样说了，那我就会在他的心目中成为一个垃圾，这是我无论如何都不情愿的呀。

我总算发现了，原来我一点也不勇敢。

和病成那样也不肯接受同情的斯嘉丽比，和敢为了朋友讨一个公道而打架的段柏文比，和站在舞台上大声喊出“我喜欢你”的横刀比，甚至和爱一个人三十二年也不肯说出口的妈妈相比，我简直胆小得不如一只小蚂蚁。

如果回忆会说话，它也许真的会开口骂我傻X。

我心事重重地回到家，我妈问我："柏文呢，你不是说约他逛街去的吗？"

"妈。"我说，"要是我和柏文同时掉进水里，你会救谁？"

"真是傻！"她重重敲一下我的头说，"妈妈老了，应该是你们一起救我才对。"

"你在逃避，"我看着她的眼睛说，"你一定会救他的对不对？在你的心目中，他一直都比我重要，对不对？"

"又犯病了。"我妈生气地说，"不要胡说，去吃饭吧。"

"你喜欢段伯伯，所以喜欢他的儿子，我可以理解。可是妈妈，爱情难道真的是生命中最重要的东西吗？你这么拼命工作，甚至生病住院，就是为了替他们家还债，别以为我不知道！但是无论如何，请不要忘记，我是你的亲生女儿！"

说完这些话，我回了我的房间。

不知道过了多久，好像是过了很久很久，我妈敲开我的门，抱着她的几个本子，对我说道："池子，妈妈想和你聊一聊。"

我侧身让她进来。

她大病初愈，脸色还不是很好，我又因为我的任性伤害了她，心里好难过。接过那些本子，我低声而苍白地对她说："对不起。"

"妈妈给你讲个故事吧。"她说完，拉我在她身边坐下，开始了她漫长的讲述：

"很小的时候，我和你罗阿姨就是好朋友，我们一起在军区大院长大。你罗阿姨从小就是个美女，唱歌、跳舞，样样都行。我跟她在一起，总有一种自愧不如的感觉。就好像她是玫瑰，而我就是一棵狗尾巴草。但好在这并不影响我们的友情。我们相依相伴地长大了。

“直到十八岁的那一年，我们遇到了你爸爸，他谈吐幽默，帅气大方，于是我们都爱上了他。不同的是，你罗阿姨把对他的仰慕和喜欢统统告诉了我，而我却因为自卑，把这份爱深深地藏在了心里。

“后来，你罗阿姨和你爸顺理成章地恋爱了，我常常躲起来一个人流泪，以为我永远都不会再有希望。但是，段伯伯的出现改变了这一切，他疯狂地爱上了你罗阿姨，疯狂地追求她。和你爸比起来，段伯伯家庭条件好得多，对罗阿姨也百依百顺。相比之下你爸爸脾气很坏，大男子主义很重。那些日子，你罗阿姨多少有些犹豫。出于私心，我不停地劝说罗阿姨跟段伯伯好，还偷偷给你段伯伯出主意，教他如何讨罗阿姨的欢心。甚至在罗阿姨面前编造了一些莫须有的事实，说你爸是如何花心，如何不安全等。

“终于有一次，罗阿姨瞒着你爸去和段伯伯见面，而我却装作无心把这件事告诉了你爸爸，最终导致了他们吵架并分手。

“五年的时间过去了，你爸爸娶了我。而你罗阿姨，则失望地嫁给了一直追求她的段伯伯。我们两家有很长时间都没有任何来往。你两岁的时候，你爸爸得病死了，为了给他看病，我们欠了很多债。我一个女人，拉扯着才两岁的你，根本就没有活下去的勇气。我觉得，这就是我的报应，我做了不该做的事，才会落得这样的下场。我真的不想活了，就在我准备把你送到孤儿院结束自己生命的时候，你罗阿姨出现了。那些天她几乎天天陪着我，做饭给我吃，给我讲笑话，鼓励我为了你勇敢活下去。那一年中秋，下很大的雨，她还冒着雨来给我送月饼，结果被车撞了，在医院里躺了好多天。其实她已经查出患了血癌，怕我担心，还一直瞒着我，就怕我花钱给她买药买保健品什么的。

“她对我的这份友情，是妈妈一辈子的财富。而妈妈对她所做的事情，是妈妈一辈子的愧疚。现在，她人已经不在了，我必须去照顾好她的家人，她的儿子，包括她的丈夫，这是妈妈的责任。池子，你长大了，一定能理解妈妈了，对吧？一个人活在世上，最紧要的就是不做亏心事，要活得坦坦荡荡，活得明明白白。只可惜，妈妈懂得太晚了，是在彻底失去了你爸爸这个爱人、你罗阿姨这个知已后才明白这一切，代价太大了。”

听完妈妈这一席话，我恍然大悟。我这才知道，原来妈妈日记里所写的“我们爱的同一个人”并不是段伯伯，而是我爸爸；我这才知道，原来妈妈在和我一样大的时候，也曾经干过那么多傻事；我这才知道，原来我自以为了解的每一个真相，其实都不是真正的真相。原来我对这个世界的偏见，都是我一个人的臆想；原来真相并不一定是真相，谎言却永远是谎言；原来我以为记忆可以删除，性格可以双面，却不知道，真正的爱，只有在失去之后，才能够刻骨铭心地懂得。

那晚，妈妈把那些本子一起交给我，对我说：“池子，你长大了。既然你已经看到过我这些日记了，我就把它送给你好了。希望你不要犯和妈妈一样的错误，平安快乐地长大。无论如何，你都是妈妈的心头肉，最重要的，你是妈妈和爸爸爱的结晶和证明啊，这一点是无论如何都改变不了的。”

我哭着投入妈妈的怀抱，她紧紧地回抱我。回忆起来，从我十岁以后，我们母女很少有这样的拥抱，眼泪终于冲破那些内心的小禁锢，让我感到前所未有的亲密和幸福。

那夜，我抱着妈妈的日记入睡。我想了很多很多，甚至想起我想要自杀的那个晚上，出现在天空的那可以许愿的风筝和那对幸福的夫妻。

如果真的可以许愿，我希望我妈妈还有时间和机会好好地再爱一次。

也许是哭得太久了的缘故，第二天早晨睁开眼，我的脸又过敏了，忽然肿成一个馒头。我抬起头，眯缝着眼睛看窗外的阳光，迎接阳光的沐浴—忽然下了一个大大的决定，把我所做的一切都告诉段柏文，告诉斯嘉丽，告诉横刀。

我要对段柏文说：“对不起。你冤枉横刀了，所有的一切都是我做的，我错了。”

我要对斯嘉丽说：“对不起。段柏文不是我的男朋友，而且我就是举报你的那个浑蛋。我不配做你的朋友。”

我要对横刀说：“对不起。我根本不喜欢你，还利用你，让你受伤，又让你担心。祝你考上复旦。忘掉我，我不值得你留恋。”

从此，我要捏碎那些谎言的泡沫，捏碎那个不愿爱自己的自己，卸下所有的秘密轻装上路。我要敲碎成长的围栏，勇敢地放自己去无边的大海，哪怕从此以后，鱼池子里再也没有鱼，只有微风卷起寂寞的涟漪，只有细雨打湿孤单的回忆，但只要你还记得我来过的温度，在你耳边的叹息低语，相遇时溅起的那粒水珠，我也曾那么近地靠近过幸福。

段柏文，我真的好喜欢你。

这将是我唯一也是最后的秘密。

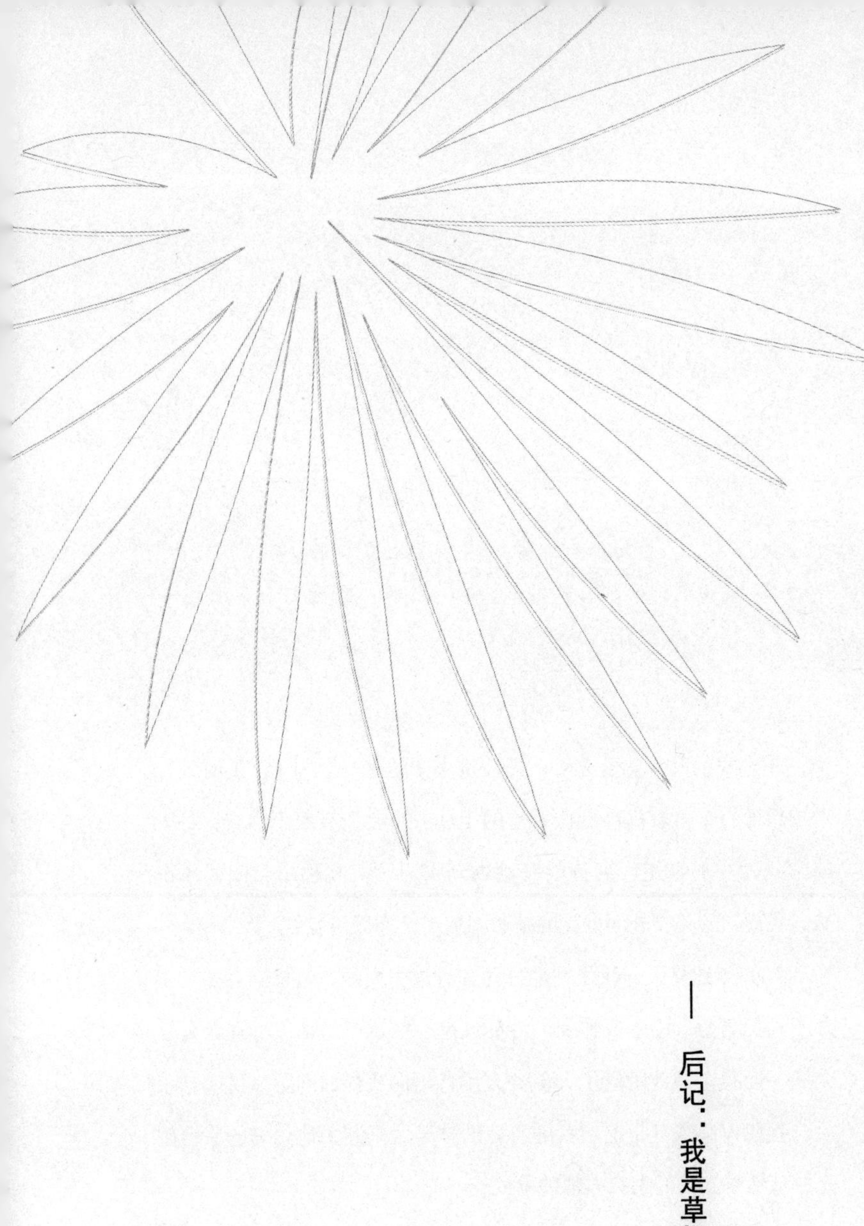

—— 后记：我是草根我最大 ——

十七岁的时候热爱亦舒，熟读她书中的每一个句子。那时候，学校后面有个有着高高低低石阶的小巷，小巷里有家小书店，每天放学我就往那里跑，期待能有她的新书可读。在那个封闭的小山城，我最初的关于外面世界的精彩想象，是亦舒给我的。

2009年的夏天，我受香港公司和香港书展的邀请来到香港，举办了一场名为“十七岁作家的冷静疯恋”的讲座。那天，现场几乎全满，而我奇怪地听懂了大部分人用粤语向我提的问题。讲座结束后，我脱掉高跟鞋，换上我随身背的球鞋，来到天地图书的展台闲逛，猛然看到我的书和亦舒的书放在一起。

时光忽然就回到二十年前。我还是那个十七岁的热爱读书、喜欢幻想、总恨自己不够高不够漂亮的小姑娘，我庆幸自己从不曾放弃，才有今日的机会懂得命运的馈赠，原来总是这样的令人猝不及防。

只是，当你站到一个曾经仰望的高度时，是继续往上，还是原地休息，这是个问题。

我必须承认，这个问题困挠了我好多天。

2009年的很长一段时间，我其实都在休息。唯一完成的故事是一个中短篇，叫《唱情歌》，这也是为了实现我的一个梦想，做一本全彩的“漫电影”。尽管那个故事的最后以及故事的主题歌《放手的勇气》感动了我，也感动了很多人，可是我觉得我开始对写故事产生厌倦，对故事末尾的排比句感到厌倦，对少男少女的无厘头感到厌倦，对方悄悄一到拍图片时就发的臭脾气感到厌倦。或者事情真正的真相是——我终于是老了，终于到“写不动”的那一天了，而这一天的到来是我早就预料到的，所以我对此显得比较理直气壮。

玩就玩呗，没理想就没理想呗，我连卡拉OK都唱不动了，你还能指望我什么呢?

直到某个无聊的夜晚，我无意中抽出放在书架上的一本《最女生》杂志，翻开《秘果》的连载，看到开头的那一句：“心事长，衣衫薄的十七岁，我遇到她。”

我开始管不住自己，又一次败给了文字。

或许，在这场和文字的战役中，我从来都没有赢过。它像一个精灵，无时无刻不在牵引着我的喜怒哀乐。它总是在我的左耳，对我说：“这是你热爱的，你丢不掉，摆脱不了。就是这样。”

于是我又开始动笔了，并且一写就没有停下来过。写作本身就是一个不断圆谎的过程，在这个过程中收获兴奋和喜悦。你若没亲身体验过，我无法用文字向你说明。

总之我很high。你嫉妒我我也要这么说。

准确地说，《秘果》讲述的是两个有关暗恋的故事。先来说说小男生段柏文吧，其实我从来都没有写好过一个男生（除了有点搞的米砾和管沙）。而这本小说，我居然敢以一个男生的口吻开头，你可以想象我有多么的胆大。和他相关联的重要人物，是大家都爱得要死的“小耳朵”。为了不出岔子，我不得不翻出多年前的《左耳》重温，当小耳朵回到天中，当小耳朵遇到段柏文，当段柏文遇到张漾，要写出一个好看的故事，对我来说真的很容易。所以整个故事里给我惊喜的，准确地说是全书中毫无主角气质的于池子（我本来打算写斯嘉丽，可写了一千字后我放弃了）。事实证明我的决定是英明的，写到最后的时候，我快被于池子的草根精神感动坏了，那个总是自以为是自作聪明的小姑娘，和我这些年接触的很多姑娘一模一样，也如同当年的那个我，被丢到人堆里绝对被发现不了却总是喜欢高高跃起妄图吸引别人的注意。

在那些自娱自乐的情节里，伤害自己，收获成长。

当然所幸的是，结局也还不赖。

谢谢所有的读者，是你们让我相信，一直相信，生命里总会有奇迹发生。

饶雪漫

2012年3月于镇江